Б. К. Седов

ХАРАКИРИ ПО-РУССКИ

ОЛМА МЕДИА ГРУПП

Москва
2009

ББК 84. (2Рос-Рус) 6
С28

Седов Б. К.

С28 Харакири по-русски. – М.: ЗАО «ОЛМА Медиа Групп», 2009. – 288 с.

ISBN 978-5-373-02279-8

В чужой стране, под чужим именем, один против военной контрразведки милитаристской Японии – вот так распорядились судьба и начальство Ивана Журбина. Он попадает в Харбин под видом русского эмигранта и должен разгадать коварные планы японского полковника Киото Мавари, должен превзойти старого самурая в хитрости и жестокости, иначе погибнут люди и вновь разгорится пожар большой войны. Ну что ж, если его немного подтолкнуть, хитроумный японец сам выроет себе могилу...

ББК 84. (2Рос-Рус) 6

ISBN 978-5-373-02279-8

Б. К. СЕДОВ

РОМАНЫ О ЗНАХАРЕ

О судьбе врача, не изменившего клятве Гиппократа

ЗНАХАРЬ
Путевка в «Кресты»
Рывок на волю
Месть вора

Когда любовь сильнее смерти и закона

ВОРОВСКАЯ ЛЮБОВЬ
Без Веры
Без Надежды
Без Любви

ЗНАХАРЬ. ВОЗВРАЩЕНИЕ В «КРЕСТЫ»

Об удаче, которая не приходит дважды

ВОРОВСКОЕ СЧАСТЬЕ
Рок
Фарт
Удача

О настоящей дружбе, чести и любви

ВОРОВСКАЯ КОЛОДА
Король Треф
Валет Бубен
Дама Пик

От судьбы не уйдешь

ВОРОВСКАЯ СИБИРЬ
Отшельник
Отступник
Заложник

РОМАНЫ О ТАМАРЕ АСТАФЬЕВОЙ

Ее предали, но она отомстила

ЖЕСТОКИЙ РОМАН
Пленница
Мстительница
Наследница

РОМАНЫ ОБ АРТЕМЕ ГРЕКОВЕ

Бои за колючей проволокой

ГЛАДИАТОР
Судьба и воля
«Матросская тишина»
Волк среди воров

РОМАНЫ ОБ ИВАНЕ ТАРАНОВЕ

Легенды и правда о «Владимирском централе»

«ВЛАДИМИРСКИЙ ЦЕНТРАЛ»
Друг
Зэк
Каратель

РОМАНЫ О ЛИКЕ КОРОЛЕВОЙ

Слишком жестока. Слишком опасна. Слишком умна

КИЛЛЕРША
Я не хотела убивать
Я ненавижу
Я люблю

РОМАНЫ ОБ АЛЕКСЕЕ КОСТЮКОВЕ

Настоящий боец никогда не сдается

ВОРОВСКАЯ ВОЙНА
Кастет. Первый удар
Кастет. Правила боя
Кастет. Один против всех

БОЕВИКИ О БЫВШЕМ ЗЭКЕ ПО ПРОЗВИЩУ ТАГАНКА

Твоя игра – мои правила

ТАГАНКА
Мэр в законе
Месть в законе
Крест в законе

Б. К. СЕДОВ

БОЕВИКИ О КУЛЬТУРИСТЕ ВЛАДЕ НЕВСКОМ ПО ПРОЗВИЩУ РЭМБО

Рэмбо – первая кровь

Я – БАНДИТ

Культурист
Бригадир
Авторитет

ВОРОВСКОЙ ШАНСОН

А за колючкой распускается сирень...

Романс для вора
Рэп для мента
Пуля для певца

ОТПЕТЫЕ МОШЕННИКИ

Честность – лучшее оружие...

Девушка, мент и бандит
Наследство старого вора
Любовь и баксы

РУССКИЙ АМЕРИКАНЕЦ

Карты, деньги, два ствола

Бандит по особым поручениям
Рок-н-ролл со смертью
Убить босса!

РЕАЛИТИ-ШОУ «ПОДСТАВА»

Преступника – в студию!

Искатель неприятностей
Объект насилия
Нарушитель спокойствия — готовится к выпуску

СЫЩИК В ЗАКОНЕ

Спец по острым акциям

Бандитский террор
Зона вторжения — готовится к выпуску
Гроза мафии

ВОЙНА БЕЗ ПРАВИЛ

Умри в небе

Обреченный спецназ
Миссия выполнима
Дальневосточный гамбит

ОТВЕТНЫЙ УДАР

Вооружен и очень опасен

Харакири по-русски ✔
Тайга все спишет — готовится к выпуску
Выстрел в спину

А. БУШКОВ

РОМАНЫ ОБ АЛЕКСЕЕ КАРТАШЕ

Нет друзей и нет приятелей

Тайга и зона
Ашхабадский вор
Сходняк
Под созвездием «северных крестов»

В. ДЕНИСОВ

СВИДЕТЕЛЬ ОБВИНЕНИЯ

Он – совершенная машина для убийства

Время любить, время убивать
Золото для Генпрокуратуры
Капкан для нежити

ИСТОРИЧЕСКАЯ СПРАВКА:

Квантунская армия (японская) – главная и самая мощная группировка сухопутных войск Японии во Второй мировой войне 1939–1945 годов, сосредоточенная в Маньчжурии и Корее и разгромленная советскими вооруженными силами в августе – начале сентября 1945 года.

В планах японского командования Квантунская армия предназначалась для агрессии против СССР и захвата советского Дальнего Востока. В состав Квантунской армии входили шесть полевых армий (3-я, 4-я, 5-я, 30-я, 34-я и 58-я), которые опирались на мощную сеть укрепленных районов, аэродромов, коммуникаций, возведенных в течение 1931–1945 годов.

2 сентября 1945 года в Токио был подписан акт о безоговорочной капитуляции Японии. Разгром Квантунской армии означал завершение Второй мировой войны.

ПО ДАННЫМ ФСБ РОССИЙСКОЙ ФЕДЕРАЦИИ:

Японская Квантунская армия наряду с войсковыми разведывательными и контрразведывательными подразделениями располагала целой сетью крупных территориальных разведывательных органов – так называемых японских военных миссий (ЯВМ), в задачи которых входило осуществление разведывательно-подрывной деятельности на советском Дальнем Востоке.

В подчинении ЯВМ находились отряды «Асано», предназначенные для проведения диверсионных и террористических акций в тылу советских войск.

В годы Великой Отечественной войны военные чекисты не только поставили надежный заслон на пути проникновения германской и японской агентуры на советский Дальний Восток, но и на высоком профессиональном уровне провели операции, позволившие разгромить японские спецслужбы и их агентурную сеть в Корее, Маньчжурии, на Курилах и Сахалине.

В 1945–1946 годах военная контрразведка «Смерш» обезвредила свыше 300 агентов японской разведки, разыскала и арестовала более 270 штатных сотрудников разведки, контрразведки, жандармерии и полиции Японии.

ГРАНИЦА. ЮЖНЫЙ РУБЕЖ
(Вместо предисловия)

2 января 1945 года. Советско-афганская граница. Сурхандарьинская область, 400 км от Ташкента. Участок 5-й пограничной заставы Термезского погранотряда.

...Они шли тихо, что называется на мягких лапах, как дикие кошки, приближаясь к пологому берегу реки Амударьи, поросшему высоким камышом со стороны Афганистана. Тринадцать человек, из которых двенадцать были вооружены до зубов – автоматическим оружием, ручными гранатами и ножами. Каждый нес на плечах по двадцать килограммов взрывчатки.

Налегке передвигался лишь один из них. Этот человек, одетый в национальную афганскую одежду, с повязанной на голове черного цвета чалмой имел при себе лишь пистолет с двумя запасными обоймами и... короткий меч японского самурая. Таким обычно совершаются священные обряды харакири – самоубийства во имя спасения великого японского народа и процветания Страны восходящего солнца.

Того, кто шел налегке, в отряде звали просто «полковник». Никто не знал его имени и не старался узнать. Любая попытка поинтересоваться личностью этого человека могла стоить жизни. Нет, жизнью как таковой здесь никто не дорожил. Но всякий мечтал умереть за идею. Смерть же никчемная считалась презренной и покрывала вечным позором весь род, всех родных и близких.

Впрочем, читателю позволительно все и в том числе знать имя загадочного обладателя самурайского меча. Звали его Киото Мавари. Был он на самом деле полковником – полковником «Токуму кикан», японской военной разведки.

Полковник Киото Мавари привел этих людей к берегу Амударьи – пограничной реки, за которой начиналась территория СССР, враждебной и страшной страны.

С минуты на минуту здесь, в камышовых зарослях, должен был появиться афганец-пуштун[1] по имени Фарух, которому поручено переправить боевую группу разведчиков-диверсантов на сопредельную территорию и, минуя советские пограничные кордоны, провести в город Термез, где люди полковника могли бы немного передохнуть перед главным броском – на Ташкент. В Ташкенте же, столице советского Туркестана, им предстояло выполнить главную боевую задачу – взорвать Ташкентский танковый завод, поставляющий бронированные машины в Сибирь, Забайкалье и на Дальний Восток – на границу с Маньчжурией.

Сам же полковник Киото Мавари оставался на этой стороне. Его путь лежал в обратном направлении (благо что на обратную дорогу он был обеспечен и транспортом, и продовольствием) – по Афганистану, затем через весь Китай на восток, по южной границе пустыни Гоби,

[1] Пуштуны – воинствующие кочевые племена Афганистана.

минуя Большой Хинган – в Харбин, давно оккупированный японскими войсками.

Здесь, в Маньчжурии, активно шла подготовка Квантунской армии к войне с СССР. Здесь должна была решиться судьба Второй мировой войны. И если Гитлер эту войну уже фактически проиграл, то император великой Японии все еще надеялся взять реванш. Он не сомневался, что измотанная в боях с фашистами Красная Армия не сумеет противостоять мощному натиску японской военной машины. Израненного красного зверя добить будет не так уж и сложно.

Если анализировать объем и направление разведывательно-диверсионной работы, проводимой японскими спецслужбами против СССР, то можно смело сделать вывод: император Хирохито готовился воевать не на жизнь, а на смерть, вопреки пакту о ненападении на Советский Союз, которого он придерживался с апреля 1941 года.

Восток, как говорится, дело тонкое. И Хирохито выжидал, когда силы Красной Армии окончательно иссякнут в борьбе с фашистами.

...Группу, которую полковник Киото Мавари сопроводил до самой границы, в анналах «Токуму кикан» условно назвали «Красный Мустафа». Хорошее название, выразительное. Красный – цвет крови. Сначала доблестная Квантунская армия зальет русской кровью весь Дальний Восток, затем вырубит самурайским мечом Урал и Среднюю Азию. А там и до Москвы рукой подать...

– Полковник! – услышал Киото Мавари крик в ночи. – Полковник, помогите!

Но это был не проводник Фарух, которого ожидали в этих зловонных перегнивших камышах диверсанты. Голос подавал один из бойцов группы.

– Что случилось? – Киото приблизился к человеку, который корчился на земле, прижимая руки к нижней части живота.

– Больно, полковник!

– А ну, убери руки, – приказал полковник.

В камышах этот диверсант напоролся на острый, как пика, штырь и слегка пропорол себе брюшную полость. Именно слегка. Обломок камыша лишь вскрыл кожный покров. Но даже это небольшое ранение исключало его участие в дальнейшем походе.

– Собака... – тихо проговорил полковник. – Ты сделал это, чтобы не идти через границу. Ты струсил. Решил вернуться в Харбин и сохранить свою ничтожную жизнь?

– Нет, полковник! – запричитал раненый. – Клянусь вам, это – случайность! Я оступился в темноте! Помогите, перебинтуйте меня, и я смогу идти дальше!

– Не сможешь, – холодно возразил Киото Мавари. – В пути ты все равно истечешь кровью и будешь схвачен чекистами.

– Нет, нет, полковник! Поверьте мне, я справлюсь!

– Не поверю, – сказал, как отрезал, Киото. – Каждый сам выбирает себе судьбу.

В руках полковника тускло блеснул самурайский меч, и острое лезвие быстро и широко пропороло брюхо незадачливому бойцу. Бело-розовые кишки вывалились на илистый грунт, печень в буквальном смысле слова выкорчеванная – черная, обильно кровоточащая и слегка парящая – мокрой склизкой лепешкой выползла наружу. Скрюченное тело коротко вздрогнуло и замерло. Но даже в темноте было видно, как белые глазные яблоки бедолаги вылезли из орбит.

Ни на кого из присутствующих описанный эпизод никакого впечатления не произвел. Эти люди видели много смертей и привыкли к тому, что любого из них гибель от пули, штыка или – вот как теперь – от самурайского меча поджидает на каждом шагу.

– За что его? – это уже был голос подошедшего проводника Фаруха.

– Он очень устал, – просто ответил Киото Мавари. – Смертельно устал в долгом пути.

– Надеюсь, у всех остальных сил хватит, – усмехнулся пуштун. – Ваши люди готовы, полковник?

– Да, все в порядке.

– Тогда нужно перейти чуть левее, – произнес Фарух. – Там подготовлены плоты из камыша. На них мы доберемся до острова, передохнем и тем же способом переправимся на сопредельный берег.

Действительно, посреди широкой реки Амударьи располагался небольшой островок, на котором можно было укрыться и перевести дух.

– Действуйте, Фарух, – сказал полковник. – Надеюсь, денег вам заплатили достаточно.

– А я надеюсь, что мне заплатят и вторую половину после того, как ваши люди, полковник, благополучно выйдут из Термеза за пределы Сурхандарьи.

– Не сомневайтесь, – заверил его Киото Мавари. – Главное, чтобы вы выполнили свою задачу.

– На той стороне, – Фарух кивнул в сторону границы, – я знаю каждую собаку и каждую тропу. Мы пойдем в непосредственной близости от пограничной заставы – там, где гяуры не ждут нас. Я уже много раз водил Каблукова за нос. С благословения Аллаха и на этот раз удастся.

– Кто такой Каблуков? – поинтересовался Киото Мавари.

– Начальник здешней погранзаставы. Мальчишка!

– Вам виднее, – согласился полковник.

Проводник двинулся вперед. За ним направились одиннадцать человек диверсантов, специально подготовленных к этой операции в разведывательно-диверсионной школе под Харбином.

Нет, не случайно Киото Мавари повел на это дело своих воспитанников из разведшколы «Облако 900», а не стал использовать террористов, обученных, к примеру, в Пакистане или Афганистане. Его люди – смертники. Они – лучшие. И непременно справятся с поставленной боевой задачей. К тому же гарантии увеличивались из-за того, что в живых никто из них остаться не рассчитывал. Камикадзе – лучший материал для исполнения такого рода дел.

Одиннадцать человек в сопровождении пуштуна Фаруха быстро и неслышно скрылись в темноте. В какой-то момент Киото Мавари услышал всплески волны – желтой и мутной воды Амударьи. Это на течение спускали приготовленные плоты. Судя по всему, отряд «Красный Мустафа» уже греб к острову, расположенному в самой середине широкого русла. Но полковник не спешил уходить со своего места. Он ждал, когда вся группа переправится на противоположный берег и уже по суше пойдет к Термезу...

* * *

Мария Фатеевна, жена начальника 5-й пограничной заставы старшего лейтенанта Каблукова, рожала.

На первый взгляд ничего особенного. Миллионы женщин проходят через эти муки, чтобы испытать только лишь им дарованное счастье материнства и осознать свое особое предназначение на земле: явить миру новую жизнь.

Любая мать рано или поздно отчетливо понимает вдруг, что только лишь ей Всевышний доверил ответственность за нового человека – себе подобного.

В общем, все у Марии Фатеевны было как у всех – и возросший до невероятных размеров живот, и тяжесть внизу, выворачивающая как будто наизнанку, и предродовые схватки, да такие, что черным застилало глаза, а из горла вырывался истошный животный крик, разрывающий голосовые связки. Она плевалась как чумная густой слюной, перемешанной с горькой желчью, боялась, что лопнут от напряжения глаза и – никуда теперь не денешься – страшно стыдилась того, что не может ни при каких усилиях свести вместе ноги...

И вот ведь незадача – ни врача, ни акушерки, ни даже бабки-повитухи рядом не было. Даже заставского солдата-фельдшера, от всех болезней лечившего пограничников зеленкой, на прошлой неделе, как на грех, увезли в Фергану с острым приступом аппендицита.

Лежала Мария Фатеевна на железной солдатской койке, в кибитке из саманного кирпича[1], с глиняным полом. И роды у нее принимал при тусклом свете керосиновой лампы... старшина заставы – сорокалетний мужик из-под Харькова Федор Кондратюк. Никого более решительного не нашлось. Муж Николай в это время обходил дозоры, а политрук погранзаставы, лейтенант Файзуллаев, находился в Ташкенте на высших офицерских курсах.

[1] Саманный кирпич – формованная глина, перемешанная с коровьим навозом и соломой, высушенная под солнечными лучами.

Кондратюк, как старший по званию из всех оставшихся на заставе, принял на себя эту нелегкую миссию, но, похоже, в самый ответственный момент слегка растерялся. Он носился по комнатушке с чистым вафельным полотенцем и кувшином кипяченой амударьинской воды, нещадно матерясь, не выпуская из прокуренных желтых зубов едко дымящую самокрутку и совершенно не понимая, что ему нужно делать. Метался до тех пор, пока пронзительные крики женщины не слились с хриплым писком появившегося на свет мальчугана – синего, сморщенного и скользкого, со смешным жидким пушком на лобастой головке и длинной сизой пуповиной, тянущейся от его круглого животика во чрево измученной матери.

Теперь от радости заорал могучим басом и сам старшина Кондратюк.

...Никто за этими криками не услышал, как на самой границе у берега Амударьи началась перестрелка.

А старшина выронил из рук и полотенце, и кувшин, когда в глинобитную комнату вбежал дежурный по заставе и гаркнул что было мочи:

– Товарищ старшина!!! Вооруженный прорыв государственной границы! Застава!!! В ружье!!!

* * *

...Начальник 5-й погранзаставы старший лейтенант Каблуков заметил нарушителей сразу. Они переправлялись на плотах с острова в середине Амударьи.

Скажем более того. Еще вчера из особого отдела Южного военного округа пограничной охраны пришла секретная информация о том, что этой ночью на участке

5-й заставы возможен переход или даже вооруженный прорыв с сопредельной стороны.

Перед пограничниками стояла задача дать нарушителям возможность благополучно преодолеть реку и на полтора-два километра углубиться в наш тыл, чтобы затем отрезать им пути отступления.

Начальник особого отдела майор Чесноченко так и сказал старшему лейтенанту Каблукову:

– Коля, смотри, среди нарушителей будут смертники – японские камикадзе...

– Да вы что, товарищ майор! – невольно засмеялся тогда начальник 5-й заставы. – Откуда у нас, в Туркестане, японские камикадзе?! Они же по Дальнему Востоку шуруют! А у нас все больше басмачи с контрабандистами!

– Перестань ржать мерином! – грубовато оборвал его начальник особого отдела. – Не твоего ума дело, откуда они в наших краях. На то вся советская разведка работает. Твоя же задача – дать пройти им немного в тыл и огнем прижать к земле. Как только залягут, сразу же давай команду пограничникам обходить их с тыла. Дальше будут работать «волкодавы» из «Смерша». Смотри, не прижмешь, не остановишь огнем – разбегутся, и ищи их потом как ветра в поле.

– Да это – запросто.

– Ничего не запросто! – возразил майор. – Твои пограничники фактически вызовут огонь противника на себя. Поверь, стрелять самураи умеют. Это тебе не басмаческие шайки. А мы просто обязаны взять их живыми. Соображаешь? И еще скажу: если дашь им вернуться за кордон, пойдешь под трибунал. Не стану скрывать – в лагерь пойдешь. Все понял?

– Куда уж понятнее...

...И вот теперь пограничники лупили из всех стволов над головами залёгших на холмах диверсантов. Подоспевшие на помощь дозорам наряды были предупреждены – огонь на поражение не вести. Требовалось всего лишь удерживать нарушителей на месте и не давать им возможности отступить обратно за границу.

Со стороны же самураев выстрелы были довольно редкими. Но то и дело падал навзничь кто-нибудь из наших пограничников – с пробитой пулей головой или грудью.

В конце концов старший лейтенант Каблуков заметил, как со всех сторон к диверсантам стали подползать неизвестные люди. Они двигались по земле будто змеи – легко и неслышно, гибко и не останавливаясь. Со стороны казалось, что эти неизвестные вообще не вооружены.

Когда между неизвестными и нарушителями границы завязалась рукопашная схватка, Каблуков понял, что это и есть знаменитые «смершевские» «волкодавы».

– Прекратить огонь!!! – заорал он своим солдатам, потому что от наших пуль теперь могли пострадать и оперативники контрразведки. – Не стрелять!!!

Таких чудес старший лейтенант-пограничник еще не видел.

Люди дрались как разъяренные кошки, высоко подпрыгивая вверх и обрушивая на противника удары руками и ногами. Обыкновенный английский бокс и борьба самбо, знакомые Каблукову еще с высшей школы комсостава пограничной охраны, никак не походили на этот вид единоборства. Тут ребром ладони один мог другому раскроить череп, а выпрямленные пальцы ладони впивались в ребра и вырывали их с хрустом наружу. Оперативник

«Смерша» неожиданно взлетал в воздух и, изображая бешеную мельницу, вырубал врага ударом обеих ног по голове. Когда в ход шли ножи, начальник заставы не успевал отслеживать сверкание стали. Ночную тишину, образовавшуюся после того как выстрелы смолкли, то и дело разрывали короткие вскрики и треск ломаемых костей...

Когда уже почти все диверсанты лежали на земле лицами вниз, а «волкодавы» успешно вязали им руки, старший лейтенант Каблуков заметил, как в сторону заставы метнулась чья-то тень.

– Стой!!! – закричал он. – Стой! Стрелять буду!!! – И, перезарядив автомат, кинулся следом.

Это проводник Фарух, воспользовавшись общей свалкой, пытался улизнуть. Через границу было никак не прорваться. Все подходы к Амударье плотно заблокировали пограничники. Значит, нужно было уходить в тыл, в Термез. В городе у Фаруха жили родственники, у которых он мог на время укрыться. А дорога в тыл лежала только через 5-ю заставу.

Он уже почти поверил в свою удачу, когда услышал за спиной окрик начальника заставы. Выхватив из-за пояса револьвер, Фарух, не целясь, выстрелил в Каблукова, но не попал. Выстрелил еще раз и еще, и еще. Бежал и стрелял на бегу до тех пор, пока в барабане не кончились патроны. И тут с ужасом увидел, что от заставского здания прямо навстречу ему бегут еще двое солдат с винтовками наперевес. Наверное, это были те, кто остался на территории воинского подразделения, на связи или из числа дежурной смены. А со спины пуштуна уже догонял сам Каблуков.

Делать было нечего – Фарух метнулся к жилому глинобитному домику. Ворвался внутрь.

В маленькой комнатке, освещенной керосиновой лампой, были только стол, два табурета и кровать. На кровати лежала молодая женщина и прижимала к себе новорожденного ребенка.

– А ну, иди сюда!!! – заорал Фарух и схватил женщину за волосы, стаскивая на пол.

Женщина, а это была именно Маша, жена начальника заставы, не выпуская младенца из рук, упала на холодную сырую глину. Малыш закричал, стал захлебываться. Фаруха это не смутило. Он схватил женщину за плечи и, закрывшись ею, как щитом, выхватил из поясных ножен кривой афганский нож со звездами и полумесяцем, выгравированными на вороненом клинке. Резко развернулся к двери и острое лезвие ножа приставил к горлу Марии Фатеевны.

И тут же в комнату ворвался Каблуков. Как ворвался, так и замер.

– Стой! – приказал ему Фарух, уже успев отдышаться. – Даже не двигайся, лейтенант, а иначе я убью и твою жену, и твоего ребенка.

Фарух был на сто процентов уверен, что офицер-пограничник не станет рисковать любимой женой и новорожденным сыном. Русские сентиментальны и преданы своим женщинам.

Пуштун много раз ходил через границу, имел, как уже говорилось, на этой стороне родственников и, безусловно, знал, что Маша – жена начальника заставы.

– Ты отпустишь меня, Каблуков, – вновь заговорил Фарух. – А твою жену с сыном я заберу на ту сторону – для гарантии. Можешь не сомневаться, как только я окажусь на другом берегу реки, они вернутся к тебе. Я дам им плот. Мое слово верное – отпусти меня.

– Я отпущу тебя, – с трудом произнес Каблуков. – Слово чекиста – отпущу. Но жену и сына ты оставишь здесь и не причинишь им вреда. Отсюда ты уйдешь один, и никто не тронет тебя.

– Слушай, к чему торговаться? Принимай мои условия! – Фарух повысил голос и сильнее надавил на лезвие, прижатое к горлу женщины. Из тончайшего пореза засочилась кровь.

Каблуков хотел еще что-то сказать. Но тут в раскрытое окно глинобитного домика просунулся длинный ствол винтовки – подоспел кто-то из солдат. Срез ствола уперся Фаруху в спину.

– Руки вверх! – отчаянно и пискляво крикнул молодой пограничник, просунув голову в оконный проем.

Напрасно он это сделал. Потому что в следующее мгновение острое, как бритва, лезвие афганского ножа полоснуло Машу по горлу, почти отрезав ей голову.

Липкая горячая кровь страшным фонтаном брызнула из раны. Мария Фатеевна – уже мертвая – повалилась на пол, так и не выпустив из рук новорожденного сына.

Солдат-пограничник выстрелил в спину Фаруху. Пуштун рухнул тяжелым мешком, не издав ни звука.

Ополоумевший от увиденного Каблуков закричал так, что, казалось, с далеких горных вершин Кокандского перевала сорвало вековые камни, и они оглушающим грохотом понеслись в низину, чтобы накрыть собою все живое...

* * *

Утром того же дня на территорию Термезского пограничного отряда прибыло все высокое начальство из округа. Чуть в стороне стояли представители контрразведки.

С 5-й заставы сюда под конвоем доставили задержанных диверсантов – одиннадцать человек – переломанных и избитых. Никто из камикадзе так и не успел сделать себе харакири.

На конных подводах привезли тела погибших в бою пограничников. Восемь человек, включая старшину заставы Федора Кондратюка.

Поседевший за ночь начальник 5-й заставы старший лейтенант Николай Каблуков на руках принес тело своей любимой жены...

Он нес Машу сюда почти десять километров, ни разу не передохнув по дороге, никому не доверив эту драгоценную ношу. Шел медленно, не спотыкаясь, не глядя под ноги.

Здесь, на территории Термезского пограничного отряда, с воинскими почестями были похоронены все героически павшие в страшном ночном бою 2 января 1945 года...

А начальнику заставы старшему лейтенанту Николаю Каблукову было присвоено звание Героя Советского Союза.

ШИФРОГРАММА:

«Командующему войсками Южного военного округа пограничной охраны генерал-майору М. В. Куропатову.

В срок до 30 января 1945 года откомандировать начальника 5-й погранзаставы Термезского пограничного отряда старшего лейтенанта Н. Н. Каблукова в распоряжение начальника Главного управления военной контрразведки "Смерш".

Начальник ГУКР "Смерш" генерал-лейтенант В. С. Абакумов.

Москва. 16 января 1945 года».

Часть первая

АГЕНТ ПОЛКОВНИКА КИОТО МАВАРИ

Глава 1

МАНЬЧЖУРСКИЙ ГОСТЬ

1945 год, июнь. Китай. Маньчжурия. Харбин.

Когда черный лакированный автомобиль японской военной миссии[1], обосновавшейся в Харбине, плавно подкатил к ресторану «Чуавэй», расположенному на Центральной улице, швейцар с пышной бородой, в синих казачьих шароварах с желтыми широкими лампасами и с маршальскими эполетами на плечах, дежуривший у парадного входа, немедленно распахнул обе створки дверей и замер в почтительном полупоклоне. По-военному приложив правую ладонь к козырьку фуражки Забайкальского казачьего войска с золотистым околышем, он подобострастно взирал на сверкающее фонарями авто большого японского военачальника.

Ресторан этот считался русским и действительно с незапамятных времен принадлежал еврею – выходцу из России, оставившему разбушевавшуюся спьяну и опухающую от голода Родину в лихолетье Октябрьской социали-

---

[1] ЯВМ – разведорган милитаристской Японии в оккупированных областях Китая в годы Второй мировой войны.

стической революции 1917 года и последующей Гражданской войны, окончательно дожравшей остатки продовольствия и промышленных резервов.

А пассажир черного лимузина с зашторенными окнами был японцем. И этого японца здесь все хорошо знали. Это был полковник Киото Мавари – офицер «Токуму кикан» – японской военной разведки, курирующий ряд разведывательно-диверсионных школ, дислоцированных на территории Маньчжурии и ориентированных в своей деятельности на СССР, точнее на советский Дальний Восток, Приморье и республики Средней Азии.

С хозяином увеселительного питейного заведения – Борисом Рийзманом – полковник Киото Мавари водил давнюю и небескорыстную, надо полагать, дружбу. Рийзман еще в двадцатые годы начал сотрудничать с японской разведкой в качестве тайного осведомителя. С того времени успел сделать карьеру. Теперь он был чуть ли не главным вербовщиком Киото Мавари, выискивая среди новых людей, появляющихся в Харбине, таких, кто мог бы принести пользу японской военной миссии. Кроме того, при помощи Бориса Рийзмана полковник не раз организовывал провокационные проверки для курсантов разведшколы «Облако 900». А проститутки, обосновавшиеся в ресторане «Чуавэй», работали с «нужными» клиентами, выуживая у них информацию, необходимую для японской разведки. Заслуги Рийзмана были столь велики, что секретным приказом ему было присвоено звание майора «Токуму кикан».

Киото Мавари и Борис Рийзман встречались ни от кого не скрываясь, прямо в ресторане, лишь ненадолго уединяясь в отдельном кабинете, который постоянно был зарезервирован для полковника. В Харбине знали, что полковник любит русскую кухню, а ресторатор Риийзман – один из лучших, его повара славились на всю округу...

– Пожал-те, ваше превосходительство! – еще ниже склонился швейцар перед полковником японской разведки от прущего из всех дыр усердия, наградив того генеральским титулом русской императорской армии (вместо «вашего благородия» назвал «вашим превосходительством»).

Даже не посмотрев на ревностного служаку, Киото Мавари прошел мимо, стуча о мостовую тростью, инкрустированную слоновой костью.

Швейцар закрыл за ним двери и вновь принял гордую осанку, свысока посматривая на проходящих мимо людей и проезжающие машины.

ИСТОРИЧЕСКАЯ СПРАВКА:

Японские спецслужбы еще до оккупации Маньчжурии пытались полностью взять под контроль Дальневосточный регион и изолировать русскую эмиграцию от влияния зарубежных разведок.

Достаточно вспомнить положение белогвардейского атамана Семенова, известного миру по истории Гражданской войны в России. Его зависимость от японских властей была столь велика, что начиная с 1922 года японская разведка держала его в полной изоляции от внешнего мира в резиденции Дайрен.

В 1932 году генерал-майор Комацубара, начальник японской разведки «Токуму кикан» в Харбине, обратился к генералу Косьмину, одному из лидеров российской фашистской партии в Харбине, с предложением создать вооруженный отряд из российских эмигрантов.

Генерал Косьмин с большой радостью согласился на это предложение. Особенно его воодушевило обещание Комацубары, что созданный отряд составит костяк, некое ядро будущей белой армии в составе Маньчжоу-го.

К концу 1936 года был разработан план слияния разрозненных отрядов русских эмигрантов.

Полковник Квантунской армии Кавабэ Торасиро, получив одобрение начальства, стал реализовывать план по созданию единого русского войскового формирования, причем предполагалось, что командовать этими объединенными силами русской эмиграции на Дальнем Востоке будут не нынешние эмигрантские лидеры, а японские офицеры или, в крайнем случае, офицеры, назначенные японцами.

В течение года создавалась воинская часть, которая могла бы выполнять важные разведывательные и диверсионные задания. К началу 1938 года новая бригада была создана и расквартирована в Эрчане, в ста километрах от Харбина, вверх по реке Сунгари. Название бригада получила по фамилии японского советника Асано.

Численность ее на первых порах составляла двести человек, но вскоре Бригаду Асано дополнили добровольцами, и она была разделена на пять рот, так как насчитывала уже до 700 единиц личного состава.

По распоряжению штаба Квантунской армии к бригаде был приставлен японский офицер. Бригада подчинялась не харбинскому «Токуму кикан», а напрямую штаб-квартире Квантунской армии в Синьцзине.

Японское командование не желало делать бригаду вотчиной какой-либо русской эмигрантской организации, по-

этому Квантунское командование поставило во главе Бригады Асано армянина Гургена Наголена.

В 1920 годах Г. Наголен учился в Харбинском юридическом институте. Оставив институт, он устроился на работу в полицию КВЖД, а затем, в 1932 году, пошел в армию Маньчжоу-го и дослужился в ней до майора. Он сумел произвести хорошее впечатление на японское командование и был назначен командиром Бригады Асано в звании полковника.

Командование Квантунской армии поручало бригаде самые опасные и секретные задания.

В красноармейской форме бойцы Бригады Асано пробирались на советскую территорию, где знакомились с дислокацией советских войск на границе с Китаем. Время от времени они инсценировали провокации, неожиданно открывая огонь по территории Маньчжоу-го.

Лишь после 1945 года стало известно, что «ревностный слуга» японских оккупационных властей работал на... советскую разведку.

...Наскоро поприветствовав вышедшего навстречу хозяина ресторана, полковник Киото Мавари сразу же прошел в свой кабинет. Подбежавшему официанту, одетому в красную шелковую косоворотку, синие шаровары и хромовые сапоги, как полагалось в трактирах на старой Руси, привычно махнул рукой, и тот мгновенно испарился. Рядом с Киото остался лишь Борис Рийзман. Ну, еще за дверью кабинета «нарисовался» неширокого, но крепкого телосложения человек, который приехал сюда вместе с полковником Киото Мавари, личный его телохранитель из особого отряда самураев-смертников – лучший из выпускников отряда № 377, имевшего еще наименование «Облако 900».

– У вас мрачный вид, господин полковник, – осторожно заметил ресторатор Рийзман.

– Для моего мрачного вида, господин Рийзман, есть веские основания, – в обычной своей манере сдержанно ответил Киото Мавари. При этом лицо его оставалось непроницаемым, а тонкие губы при артикуляции почти не открывались. – Вы не забыли еще о провале группы «Красный Мустафа»?

– Как забыть... – хмуро произнес в ответ Борис Рийзман. – Тем более что это трагическое событие произошло всего лишь месяц назад. Ах, какие люди погибли! Какие великие планы сокрушены! Мое бедное сердце не находит покоя...

– Перестаньте восклицать, – спокойно перебил его Киото с каменным выражением лица. – Ваша русская эмоциональность, плещущая через край, не всегда искренняя. Так не лучше ли держать ее при себе и использовать для более доверчивых собеседников?

Борис Рийзман осекся.

Дело в том, что полковник Киото Мавари был одним из создателей отряда «Облако 900» и втайне очень гордился своим детищем. Диверсанты-смертники были готовы выполнить любую задачу в любой точке земного шара. Их натаскивали лучшие специалисты с использованием передовых методических разработок и новейшей техники в области шпионской и террористической деятельности. В случае попадания в плен каждый из разведчиков-диверсантов должен был совершить обряд «харакири» – по сути самоубийство, дабы душа его немедленно вознеслась в рай.

Одна из групп отряда «Облако 900» в начале мая была заброшена в советский Туркестан, куда в самом начале войны был передислоцирован Сталинградский танковый завод, представляющий для японцев огромный интерес.

Агентурная сеть, подчиненная полковнику Киото Мавари и внедренная в разные государственные структуры Ташкента, регулярно передавала важнейшую информацию о технических разработках конструкторского бюро завода, о его кадровом и руководящем составе. Но с учетом того, что гитлеровская Германия пала, рассчитывать на использование этих разведывательных данных с целью их применения в собственном танкостроении в ближайшее время было нереально. Требовалось в кратчайшие сроки уничтожить заводские линии взрывами и, таким образом, ослабить броневую мощь русских, собирающих силы на Дальнем Востоке, несомненно, для войны с Квантунской армией.

Наличие или отсутствие у русских достаточного количества бронированной техники могло сыграть чуть ли не решающую роль в исходе русско-японской кампании. Танковый завод, расположенный в Уссурийском крае – в Благовещенске, – никто пока еще в расчет не принимал. Здесь выпускали легкие танки и не успевали переоборудовать производственные мощности на выпуск знаменитых «Т-34».

Пусть это звучит банально, но как гром среди ясного неба пришло известие о том, что вся группа «Красный Мустафа» схвачена и ликвидирована военной контрразведкой «Смерш» почти сразу же после того, как перешла советско-афганскую границу в районе города Термез.

Проводник, надежный и проверенный, вел караван диверсантов-подрывников из афганского приграничного городка Кундуз в проклятый Термез и был уверен в том, что ни одна из неприятных неожиданностей не сможет преградить им путь.

Пуштун, поднаторевший в нелегальных переходах границы, уже десятки раз преодолевал этот путь, переправляя на территорию СССР опий-сырец, маковые головки или готовый опиум. Но стоило диверсионной группе подойти к пригороду Термеза, как тут же со всех сторон на них обрушились пограничники, прижав к земле шквальным огнем. Действия русских оказались столь отлаженными, что вслед за пограничными автоматчиками в дело вступили оперативные сотрудники «Смерша». Путь назад, к спасительной реке Амударье, был отрезан. Даже священного «харакири» никто себе сделать не смог – не успел. Всем людям полковника Киото Мавари, посланным на это задание, пришлось сдаться чекистам.

И это еще не все.

Киото Мавари был в шоке, когда узнал, что на следующий же день в Ташкенте контрразведка «Смерш» уничтожила или арестовала разведчиков «Токуму кикан», внедренных еще в конце тридцатых годов.

Такого позора полковник Киото Мавари еще не знал.

– Что думаете по поводу провала группы «Красный Мустафа»? – спросил Киото Мавари ресторатора Рийзмана.

– Без сомнения, господин Киото, в нашу разведку внедрен опытный русский шпион, – уверенно ответил Борис. – Скорее всего, сведения о переброске на советскую территорию «Красного Мустафы» Советам стало известно заблаговременно.

– Есть и другой вариант, – раздумчиво проговорил полковник. – В Ташкенте среди нашей резидентуры появился предатель.

– Не исключено, – согласился с ним Рийзман.

На самом деле провал разведывательно-диверсионной группы, существующей под кодовым наименованием «Красный Мустафа», был обусловлен и тем, и другим из озвученных предположений. Вся разведывательная сеть «Токуму кикан», действовавшая в мае 1945 года в Ташкенте, давно была «под колпаком» «Смерша». Это – во-первых. А во-вторых, здесь, в Харбине, так же успешно работали несколько советских разведчиков, которым вовремя стало известно о планах полковника Киото Мавари по уничтожению Ташкентского танкового завода.

Кроме того, под самым, что называется, носом японской военной миссии в Харбине появился человек, которого полковнику Киото Мавари следовало бояться, как мотыльку огня. Но он об этом еще не знал и чувствовал себя и в Харбине, и в Эрчане, и в Синьцзине как в родном Токио – вольготно и уверенно.

Между тем всю Маньчжурию, оккупированную японскими милитаристами, уже незримо брали под контроль органы советской разведки и военной контрразведки «Смерш» – «Смерть шпионам».

Да, русские готовились к войне с Японией, невзирая на подписанный пакт о ненападении. Готовились, наученные горьким опытом 22 июня 1941 года.

* * *

9 мая 1945 года я, как и все счастливчики, которым удалось дойти до Берлина, праздновал победу советского

народа над фашистами. Отплясывал под гармонь, вконец стаптывая сапоги, пил не жалея глотки обжигающий сосновый спирт и раз десять оставил свой автограф на стене ненавистного Рейхстага.

Из толпы развеселых русских солдат фронтовой разведки меня выдернул адъютант коменданта Берлина генерала Берзарина.

– Иван! Строиться! Да угомонись же ты!

– Ну, чего надо?! Победа кругом, не видишь, что ли?! – Мои ноги сами отбивали чечетку, а раскрытое горлышко фляги так и тянулось к губам.

– Это у них победа! – кивнул адъютант в сторону разошедшейся не на шутку пехоты. – А у тебя, как всегда, работы невпроворот.

– Какая работа?! Отстань!

– Николай Эрастович тебе сам все объяснит. Садись в машину – и поехали.

Уже сидя в командирском «виллисе», я узнал, что Николай Эрастович Берзарин лично принял из Москвы телефонограмму, в которой мне предписывалось срочно вылететь в столицу для выполнения особо важного правительственного задания.

Что это за задание такое, никто раньше времени мне объяснять не собирался. В официальной телефонограмме, переписанной генералом Берзариным от руки, значилось:

«Полковнику Главного управления военной контрразведки "Смерш" Ивану Степановичу Журбину срочно прибыть в Москву в распоряжение Верховного Главнокомандующего генералиссимуса Иосифа Виссарионовича Сталина.

Коменданту Берлина генералу Берзарину – обеспечить немедленный вылет Журбина из Берлина специальным авиарейсом.

Лаврентий БЕРИЯ.

9 мая 1945 года. Москва. Кремль».

С такими телефонограммами не шутят. Их исполняют со свистом пули и превышением скорости света.

...Самолет военно-транспортной авиации, натруженно гудя моторами, нес меня к Москве.

9 мая 1945 года. Конец войне! Весь мир празднует победу над фашистами.

А в моей душе покоя как не было, так и нет. Что за задание ждет меня в столице?

Чтобы не мучить себя догадками, принялся мечтать на отвлеченные темы. Ну как мальчишка, ей-богу! Самолет летел в небе, а я витал в облаках.

Вот пройдут года, стану я стареньким и заделаюсь настоящим писателем. Буду сидеть себе на даче – где-нибудь в Переделкино в Подмосковье или в Репино под Ленинградом! – и строчить романы о контрразведке «Смерш». Навру, конечно, с три короба, чтобы читателя завлечь. Но и от правды не откажусь. Расскажу, как рвал зубами нечисть всякую.

Сколько же всего прожито! Сколько дорог пройдено! И чего это я восклицаю так щедро? Хорошего-то мало в жизни было. Все больше погони, перестрелки да светские беседы с неизбежным летальным исходом.

Хотя какой из меня писатель, к чертовой матери?! Курам на смех. Писатель – он должен быть солидным, вальяжным и, главное, мудрым. А моей мудрости хватает разве что на то, чтобы башку кому-нибудь против резьбы свернуть или в нужный момент нажать на спусковой крючок. Нет, не выйдет из меня, пожалуй, романиста-автобиографа. А жаль...

И еще, скажу откровенно, очень я сомневаюсь, что вообще доживу до старости. Служба у нас такая, что даже до сорока лет не каждому удается дотянуть. Хоронят нашего брата не по дням, а по часам и согласия не спрашивают. Так что извиняйте, граждане, обещать заранее ничего не стану...

А ведь сколько всего я повидал! И Гитлера мертвого видел. Жалкий обгоревший труп в саду Имперской канцелярии...

...А теперь вот лечу в Москву за новым заданием. Куда меня забросят? Что со мной станет? Одному Богу, как говорится, известно. И еще Лаврентию Берии.

Короче говоря, поживем – увидим. Если доживем...

* * *

1945 год, 10 мая. Москва. Кремль.

– Маньчжурская история беспокоит меня, Лаврентий. – Сталин сидел за столом и придерживал ладонью разболевшееся горло. Он здорово сдал за годы войны. Волосы еще больше пронизала седина, лицо, и без того щербатое, щедро испещрили глубокие морщины. Глаза сузились, стали менее подвижны, постоянно слезились. Он старался меньше двигаться. Часто простывал, страдал бронхитом или гриппом – вперемешку.

– Да, дела на Дальнем Востоке еще не окончены, Иосиф Виссарионович, – сдержанно ответил Берия. – На Маньчжурском направлении назревает тяжелая обстановка.

– Расскажи подробнее, – несколько раздраженно потребовал Сталин. – И – что ты называешь тяжелой обстановкой?! У нас уже была тяжелая обстановка: на Курской дуге, под Сталинградом, под Москвой, при Ленинградской блокаде...

– Японцы, Иосиф Виссарионович, будут нападать с территории Китая, из Маньчжурии, – начал излагать свои мысли Берия. – Квантунская армия сегодня – наиболее боеспособное войсковое соединение. И оно дислоцировано у самых наших границ. Думаю, япошкам наплевать на апрельское соглашение 41-го года о ненападении на СССР. Начиная с того же 41-го года японцев сдерживали американцы. Кстати, о вероломстве. Вы помните Перл-Харбор?..

ИСТОРИЧЕСКАЯ СПРАВКА:

В 7.50 утра 7 декабря 1941 года (гавайское время, в Японии уже была ночь 8 декабря) ударное авианосное соединение военно-воздушных сил Японии совершило нападение на Перл-Харбор – военно-морскую базу США.

В результате двух атак японская авиация уничтожила или надолго вывела из строя 8 линкоров, 6 крейсеров, эсминец и 272 самолета. В тот же день с кораблей авианосных соединений Японии, базировавшихся на острове Тайвань, были совершены массированные налеты на аэродромы Филиппин, атакованы британские аэродромы в Малайе и Сингапуре, высажен десант на севере Малайи и произведена высадка войск в Южном Таиланде. У берегов Малайи японская авиация потопила английский линкор «Принс оф Уэлс» и линейный крейсер «Рипалс».

8 декабря 1941 года конгресс США принял резолюцию об объявлении войны Японии.

В тот же день в Японии был опубликован императорский рескрипт об объявлении войны США и Великобритании.

Вслед за Японией 11 декабря войну США объявили Германия и Италия.

Затем в войну против Японии вступили Голландия, Франция, Китай. Началась война на Тихом океане, или, как ее именовали в Японии, «война за Великую Восточную Азию» («дайтоа сэнсо»).

– Да, если бы американцы не ввязались в бои с Японией, нам бы пришлось еще с 41-го года воевать на два фронта. И тогда... – Сталин закашлялся, вытер платком мокрые губы и раскурил трубку. – Мы не должны ждать, пока японские милитаристы нанесут свой первый удар по советскому Дальнему Востоку.

– Совершенно с вами согласен, Иосиф Виссарионович, – кивнул Берия.

– Что предлагаешь, Лаврентий?

– В группировку советских войск на Маньчжурском направлении должно быть не менее двух миллионов человек личного состава. Преимущественно танковые части. Кстати, маршал Жуков предлагает для стратегического руководства борьбой создать Главное командование советских войск на Дальнем Востоке под руководством маршала Василевского.

– Проконтролируй подготовку проекта Указа за подписью Верховного главнокомандующего, – высказался Сталин. – А Василевский... – Он чуть призадумался. – Пусть будет Василевский.

ИЗ БИОГРАФИИ МАРШАЛА А. М. ВАСИЛЕВСКОГО:

Александр Михайлович Василевский родился 18 (30) сентября 1895 года в селе Новая Гольчиха Кинешемского района Ивановской области.

Происхождения духовного.

Отец, Михаил Александрович, был сначала псаломщиком, позднее священником.

Летом 1909 года окончил Кинешемское духовное училище. А осенью начал учиться в Костромской духовной семинарии.

В феврале 1915 года Александр Василевский поступил в Алексеевское военное училище. Спустя четыре месяца состоялся выпуск по ускоренному курсу обучения военного времени (шла Первая мировая война).

Прапорщик Василевский с маршевым батальоном прибыл в Новохоперский полк, в самое пекло сражений. Два года на передовой без отпусков.

К началу революции Александр Михайлович был уже штабс-капитаном и командиром батальона. Для 22-летнего юноши, даже в условиях мировой войны, это была блестящая карьера.

Революция поставила офицеров русской армии перед сложным выбором. Часть из них, а это около 80 тысяч человек, образовала основное ядро командного состава быстро растущей Красной Армии.

В разгар Гражданской войны, в 1919 году, Василевский начал службу в Красной Армии со скромной должности помощника командира взвода в запасном полку. Но скоро он принял роту, затем батальон и вновь выехал на фронт.

Помощником командира 429-го стрелкового полка 11-й Петроградской стрелковой дивизии воевал с белополяками.

Более двенадцати лет А. М. Василевский прослужил в 48-й стрелковой дивизии, включая последние годы Гражданской войны. Поочередно он командовал всеми полками, входящими в ее состав.

В мае 1931 года он был переведен в Управление боевой подготовки РККА, принимал участие в организации учений, в разработке Инструкции по ведению глубокого боя.

Осенью 1936 года полковник Василевский был направлен в только что созданную Академию Генерального штаба.

К маю 1940 года он стал заместителем начальника Оперативного управления. А это – одна из ключевых фигур в структуре Генштаба.

24 июня 1942 года, в тяжелейшее для страны и Красной Армии время, Александр Михайлович стал начальником Генерального штаба. Вскоре он убыл представителем Ставки на самый важный и опасный – Сталинградский фронт.

Блестяще проведенная операция по окружению войск Паулюса была только половиной дела. Не допустить деблокады, которая не раз уже случалась, – вот задача из задач. Но и с ней справился Василевский. Под его руководством войска остановили и разгромили мощнейшую деблокирующую группировку Манштейна. Южный фланг немецкого фронта рухнул и начал откатываться не только от Сталинграда, но и с Кавказа.

В феврале 1945 года, после неожиданной гибели командующего 3-м Белорусским фронтом И. Д. Черняховского, Василевский был назначен на его место. Вскоре под его начало перешел и 1-й Прибалтийский фронт. Под ру-

ководством Василевского войска завершили разгром Восточно-Прусской группировки противника и штурмом овладели городом-крепостью Кенигсберг. Впереди были салют Победы и парад Победы, на котором Василевский прошел во главе колонны 3-го Белорусского фронта.

9 августа началась знаменитая стратегическая операция по разгрому Квантунской армии. Легендарный бросок через Хинган, десанты в Гирин, Мукден и Порт-Артур, на Курилы и Сахалин. Меньше месяца потребовалось войскам Василевского на то, чтобы разгромить лучшую армию императорской Японии и пленить все ее командование. Трудно сказать, как долго могла длиться война с Японией, если бы не этот сокрушительный удар.

Василевский получил за эту кампанию вторую Золотую Звезду Героя Советского Союза и... выговор от Генералиссимуса Сталина за задержку с представлением в Ставку отчета о военных действиях.

В марте 1946 года он вновь принял Генеральный штаб, потом военное министерство.

Дважды Герой Советского Союза, дважды кавалер высшего военного ордена «Победа», А. В. Василевский награжден также восемью орденами Ленина, орденом Октябрьской Революции, шестью орденами Красного Знамени, орденом Суворова I степени, орденами Красной Звезды и «За службу Родине в Вооруженных Силах СССР» III степени, многими другими отечественными и иностранными орденами и медалями.

Маршал Советского Союза А. М. Василевский умер 5 декабря 1977 года.

Похоронен на Красной площади.

«Дальний Восток – Василевский», – сделал Берия запись в своем блокноте.

– Что ты там все пишешь, Лаврентий?! – недовольно спросил Сталин. Фамилию Василевского запомнить не можешь?! На лбу у себя запиши!

– Виноват, товарищ Сталин, – сконфузился Берия.

– Ты ничего не сказал мне о контрразведке. А я знаю, что японские диверсанты по нашим тылам, как у себя дома, гуляют. Кого расстрелять из «Смерша», чтобы работали лучше?

Даже Лаврентий Берия, отнюдь не сентиментальный и непосредственно руководивший репрессиями еще с тридцатых годов, пославший на казнь тысячи ни в чем неповинных людей, невольно вздрогнул от такого неожиданного вопроса. Утерев капельки пота со лба, он произнес:

– Я вызвал из Берлина полковника Журбина...

– Что?! – исподлобья посмотрел на него Сталин. – Журбина, что ли, расстрелять?! При чем тут Журбин?!

– Простите, вы неправильно меня поняли...

– Это ты последнее время неправильно излагаешь свои мысли. На пенсию тебе пора, Лаврентий. Докладывай, зачем вызвал Журбина? – Сталин вновь громко закашлялся и снова затянулся трубкой. Табачный дым на время заглушал приступы хронического бронхита. – Только говори коротко – надоел ты мне сегодня.

Ничего не поделаешь, с каждым днем генералиссимус Сталин становился все капризнее и несдержаннее. Сказывались расшатавшиеся за годы войны нервы, обострившиеся хронические болезни и полнейшее осознание собственного величия и ключевого места в мировой истории после победы над фашистской Германией.

– Полковник Главного управления военной контрразведки «Смерш» Иван Степанович Журбин, – принялся четко докладывать Берия. – На днях будет командирован в Харбин. Помимо других оперативных задач ему поручено выкрасть и переправить в Москву полковника японской военной разведки Киото Мавари – руководителя сети разведывательно-диверсионных школ, дислоцированных в Маньчжурии. Группа наших товарищей уже работает в спецподразделениях японской разведки «Токуму кикан», но столь деликатную миссию сможет выполнить, думаю, только Журбин.

– А зачем нам нужен этот Киото? – спросил Сталин.

– Как ни странно, в меньшей степени – как источник информации, – ответил Берия. – Сомневаюсь, что железный самурай станет давать на Лубянке какие-то показания. Но больше всего для того, чтобы развеять миф о неприступности японских разведорганов. Для них это будет настоящий шок. Выкрасть офицера японской военной миссии – это похлеще, чем сокрушить одним ударом целую дивизию. Я имею в виду, прежде всего, высочайшее самолюбие самураев.

– Вот и хорошо, Лаврентий. – Сталин просветлел лицом. – Вот и сделайте им «банзай». Считай, что одобряю. Свободен.

* * *

1945 год, 10 мая. Москва. Лубянка.

Начальник Главного управления военной контрразведки «Смерш» генерал-лейтенант Виктор Семенович Абакумов вызвал к себе выпускника высшей школы контрразведки старшего лейтенанта Каблукова. Того самого

Николая Каблукова, отозванного с должности начальника 5-й пограничной заставы почти сразу же после задержания на участке государственной границы группы японских камикадзе.

– Проходи, Николай Николаевич, присаживайся. Пришло время нам побеседовать. Как училось-то? Нелегко пришлось? – спросил Абакумов, предлагая молодому чекисту чай с лимоном и папиросы «Казбек». – Знаю, что гоняют в наших школах вашего брата по-черному. Не всякий выдержит.

– Не труднее, товарищ генерал, чем на заставе, – спокойно ответил Каблуков, явно по-мальчишески храбрясь.

– А на заставу свою, в Туркестан, вернуться не хочешь?

В глазах офицера мелькнули горечь и грусть от нахлынувших воспоминаний.

– Как прикажете, товарищ генерал-лейтенант, – ответил он, погасив в себе эмоции.

– Прикажу, Коля, прикажу, – пророкотал Абакумов. – Но только не на заставу. О службе в пограничной охране придется забыть.

– Надолго? – спросил старший лейтенант.

– Навсегда. Все эти три месяца мы усиленно готовили тебя для другой работы... – Абакумов сделал небольшую паузу. – Почему не спрашиваешь – для какой?

– Все, что необходимо, Виктор Семенович, вы мне сами скажете, – ровно проговорил Каблуков.

– Молодец, все правильно понимаешь, – похвалил Абакумов. – Ты теперь – не офицер-пограничник, ты теперь целиком и полностью принадлежишь контрразведке «Смерш». Отсюда и все вытекающие задачи. Готовься к командировке за границу. Поедешь в Харбин. Если не ошибаюсь, курс твоего обучения в спецшколе был направлен именно на дальневосточный регион?

– Так точно, товарищ генерал.

– Не случайно... Не случайно мы тебя выбрали из множества кандидатов. Прости, что напоминаю, но именно с японскими диверсантами была у тебя стычка на границе, в результате которой погибла жена... За сына не беспокойся. Пока ты на задании, о нем позаботится государство. Кстати, с ним ты можешь видеться в течение трех дней перед отъездом. Он здесь, в Москве, в нашем ведомственном детском доме. А в Харбине... – Абакумов подошел к одной из боковых дверей в своем кабинете, открыл ее и позвал: – Иван Степанович, зайди.

В комнате появился Журбин.

– ...В Харбине ты поступишь, – продолжил Абакумов, – в полное распоряжение этого человека. Знакомься – полковник государственной безопасности Журбин.

– Иван, – Журбин протянул руку.

– Николай, – крепким пожатием поприветствовал его Каблуков.

Журбин сразу же обратил внимание на новенькую Звезду Героя Советского Союза на груди молодого офицера.

– От вашей слаженности, товарищи, во многом будет зависеть исход всей операции. Полковник Журбин – старший. Каблуков – его незримая тень, обеспечение оперативного прикрытия. Теперь обсудим детали...

Все трое уселись за широким столом.

* * *

1945 год, июнь. Китай. Маньчжурия. Харбин.

– Мне известно, господин Рийзман, что на днях вы встречали на вокзале родственника? – проговорил полковник Киото Мавари, прихлебывая из пиалы зеленый чай, настоянный на лепестках жасмина. Жасминовый чай – единственный китайский напиток, который он позволял себе, посещая сугубо русский ресторан. Обычно выпивал водки и закусывал ее блинами с селедкой или грибами. Или баловался запеченным на углях молочным поросенком с хреном, съедая его целиком. При этом говорил, что все русские – страшные обжоры и чревоугодники. Сам же после обильной трапезы еле поднимался из-за стола. Правда, никогда не напивался пьяным, строго держал ситуацию под контролем, хотя проглотить за один вечер мог почти литр «Смирновской» или «Анисовой».

– Совершенно верно, господин Киото, – широко заулыбался ресторатор Рийзман. – И для меня это большая радость. Мы с двоюродным братом не виделись почти двадцать три года, с тех пор, как покинули большевистскую Россию. Он тогда был совсем мальчиком, и ему пришлось бежать со своим опекуном из Одессы в Константинополь. Это жуткая история! Бедный ребенок...

– Сколько мальчику лет, вы говорите? – с иронией поинтересовался Киото Мавари.

– Тридцать четыре, – без тени смущения ответил Борис Рийзман.

– Действительно, совсем ребенок, – полковник даже позволил себе улыбнуться.

– Понимаю, о чем вы сейчас подумали, господин Киото, – закивал Рийзман. – Но для меня он всегда останется младшим братом, ведь я старше его на двадцать пять лет! Я уже старик, а он – дитя неразумное! Не поверите, я его младенцем на руках носил! Знаю, знаю, вы сейчас думаете...

– Как вы можете знать, о чем я думаю? – Киото Мавари пристально посмотрел на ресторатора. – На самом деле я подумал, что вы, господин Риймзман, достойны всяческого уважения, коль так свято чтите родственные связи.

– Да, господин полковник, я очень любил и уважал его отца – моего дядюшку. Это был крупнейший судовладелец в Одессе! Матвей Кегельбаум!!! В нем одного только живого весу было сто двадцать семь с половиной килограммов! Человек-гора! Весь одесский торговый порт лежал у его начищенных белых штиблет с черной окантовкой по бокам и с удовольствием лизал подошвы, боясь оставить на них хотя бы одну маленькую пылинку! Вы не поверите, но...

– Поверю, – прервал его Киото Мавари. – Какое может быть между нами недоверие? Но где же остановился ваш двоюродный брат? – В действительности Киото Мавари все было уже доподлинно известно.

– Я позволил расположиться ему в моем доме, – ответил Риймзман.

– Да-да, конечно же, – закивал полковник. – У вас большой и уютный дом. Не прозябать же ему в этих гнусных китайских отелях. Когда вы познакомите нас?

– Пока мой брат не занят в Харбине никакими делами, думаю, он сможет встретиться с вами, господин полковник, в любое удобное для вас время.

– Ну, вот и хорошо. Значит, завтра в семь часов вечера я надеюсь увидеться с ним здесь, в вашем замечательном ресторане. Кстати, а почему он покинул Константинополь и переехал в Харбин?

– Все очень просто – в прошлом году неожиданно умерла его жена, дела не заладились... Он держал в порту бригаду докеров. Турки – хитрый народ, а русские столь простодушны! Крах... Полный крах... Вот он и попросил меня о помощи.

– Значит, разорился? Досадно. Но с таким братом, как вы, господин Рийзман, ему не придется долго горевать и бедствовать, не так ли?

– Надеюсь, господин полковник. Очень надеюсь, что смогу быть ему полезным.

– А я надеюсь, господин Рийзман, что ваш брат окажется интересным человеком и наше знакомство в скором времени перерастет в настоящую мужскую дружбу...

– Я обязательно передам Вениамину, что вы хотите с ним познакомиться. Но... – Рийзман замялся: – Как мне вас отрекомендовать?

– Он знает, что вы работаете на «Токуму кикан»?

– Упаси боже! – замахал руками Рийзман. – Ни одна живая душа об этом не знает!

– И не надо, чтобы знал. А меня можете представить так, как есть на самом деле. Зачем скрывать от нашего гостя очевидное? Тем более что я, надеюсь, смогу предоставить ему со временем работу.

– Работу? – удивился Рийзман. – Но я хотел пристроить его в своем ресторане...

– Одно другому не помешает.

* * *

– Веня, ты пропал, как дешевый одесский поц, стащивший булочку с корицей из торгового лотка толстой поганки Сары Цукерманши! Тебе нужно было родиться простым нищим биндюжником с грязным пупком в семье проститутки и пьяного боцмана, а не сыном знаменитого Матвея Кегельбаума! – восклицал Борис Рийзман, появившись вечером у себя дома. Он выглядел крайне взволнованным и даже испуганным. – Ты пропал окончательно и бесповоротно, как пропадают мятые денежные знаки из дырявого кармана неудачливого картежника! Ты даже представить себе не можешь, какая опасность тебе грозит в этом сраном Харбине! Лучше бы ты сюда вообще не приезжал, мой дорогой! Ах, если бы я только знал, что так все печально обернется! Да разве же я стал бы тобой рисковать, золотой ты мой?! Или ты считаешь своего брата последним негодяем?! Так нет же! Я порядочный человек, хотя ты об этом, конечно же, имеешь наглость не догадываться! Но всем порядочным людям на этой говняной китайской земле катастрофически не везет! Вениамин! Я заманил тебя в ловушку! Немедленно сними свой замечательный брючный ремень и надери негодному старику его жирную задницу!

Борис Рийзман быстро передвигался по комнате из угла в угол, размахивал руками, сокрушаясь, непрестанно восклицал и даже немного всплакнул по-стариковски. Между делом подбежал к серванту, достал оттуда графин с вишневой наливкой и почти без перерыва хлопнул три стопки подряд, ничем не закусывая. Когда же младший двоюродный брат тоже потянулся за графином, Рийзман решительно отстранил его руку:

– Не твое – не трогай! Не привыкай к плохому!

– Борис! – наконец заговорил Вениамин. – Ты можешь мне толком объяснить, что такое страшное произошло?

Отчего ты не находишь себе места и не даешь мне по-человечески выпить твоего гадкого вина?

– Выпить?! – воскликнул Рийзман. – Чтобы я больше этого от тебя не слышал! Еврей-алкоголик, как и еврей-оленевод – нонсенс! Этого не может случиться ни за что и никогда, ни в какую погоду! Особенно в твоем нежном возрасте. Зато очень просто может случиться другое.

– Не томи же, говори – что?

– Ты немедленно упадешь. Но только не падай. Лучше сядь на свою жопу или встань к стеночке, но только не запачкай ее. Тобой заинтересовалась японская разведка! Ты понимаешь, что это значит? – Все эти фразы Борис Рийзман зловеще прошептал, вплотную приблизившись к брату и заглядывая в его удивленные глаза.

– А на кой черт я сдался японской разведке?

– Это ты у них спроси по секрету! Нет! Лучше не спрашивай, а то будет еще хуже. Они тебе завтра сами все скажут.

– «Они» – это кто? – резонно спросил Вениамин.

– «Они» – это господин полковник Киото Мавари, который назначил тебе свидание на семь часов вечера.

– А я могу от этого свидания отказаться?

– Ты с ума сошел! Но это случилось не сегодня, – премудро заключил Рийзман. – Я еще тридцать четыре года назад увидел, что ты – сумасшедший во все твое новорожденное туловище. Киото Мавари – не рублевая барышня в панталонах с одесского привоза. От его свиданий отказываются только покойники.

– Неужели все так серьезно?

– Серьезно было позавчера, когда ты, голодранец, приперся к старшему брату и нагло попросил денег взаймы, хотя я взаймы не даю, потому что никто никогда ничего не возвращает. А сегодня все смертельно опасно... Либо ты сделаешь то, что тебе скажет господин полковник, либо он скушает тебя на ужин вместе с дерьмом и запьет для дезинфекции стаканом русской водки...

* * *

В то самое время, когда Борис Риймзман эмоционально произносил свой трагический монолог перед младшим двоюродным братом, полковник Киото Мавари преспокойно расположился в своем рабочем кабинете и... слушал весь этот разговор.

Безусловно, каждый сантиметр жилища ресторатора прослушивался технической службой «Токуму кикан». Японская военная миссия не зря ела свой хлеб.

– Капитан Фудзинаи, зайдите, – приказал полковник по телефону.

Почти сразу же в кабинет вошел подтянутый молодой военный – личный помощник полковника Киото Мавари.

– Слушаю вас, господин полковник.

– Что нам уже известно о прибывшем в Харбин двоюродном брате ресторатора Бориса Риймзмана?

– С 1921 года проживал в Константинополе. Эмигрировал туда из Советской России после того, как в ходе Гражданской войны войсками Красной Армии были захвачены полуостров Крым, Украина и Черноморское побережье Кавказа. Эмигрировал с наставником, домашним учителем, так как родители были расстреляны большевиками в Одессе за конспиративную антисоветскую деятельность, диверсии в порту и саботаж. В Константинополе окончил техническое мореходное училище, но на флот служить не пошел – не приняли по состоянию здоровья. Создал свой бизнес – собрал бригаду портовых грузчиков и имел постоянные заказы от портового начальства на погрузочно-разгрузочные работы на судах, прибывающих из Греции и Болгарии. В прошлом году умерла от чахотки его жена. Он сильно запил. Бизнес развалился. Обнищал. В письмах неоднократно просил помощи у своего старшего брата – Рийзмана. В конце концов приехал в Харбин без приглашения. Скорее всего, Рийзман недоволен его визитом, но отказать в гостеприимстве не может. Русская натура!

– Они же евреи.

– Все евреи из России – русские, господин полковник. Поверьте, я пять лет проработал в Москве и три года в Хабаровске.

– Что известно о его политических взглядах, пристрастиях, слабостях?

– Об алкоголе я уже сказал. Но, скорее всего, страсть к спиртному не хроническая, а возникшая вследствие стресса, перенесенного после смерти жены. Он ее очень любил. К тому же детей у них не было. Он остался фактически один, не обеспечив себе наследников. Больше ничего не известно. Мы слишком мало времени им занимаемся...

– Вы слишком вяло им занимаетесь! – прикрикнул Киото Мавари. – Поднимите всю турецкую агентуру, выверните этого человека наизнанку, но чтобы в течение недели я знал всю его подноготную!

– Слушаюсь, господин полковник!

* * *

Борис Рийзман и его новоявленный брат Вениамин Кегельбаум вышли в вишневый сад, расположенный возле шикарного дома богатого ресторатора. Здесь для них прислуга накрыла стол к позднему ужину.

За еду они принялись не сразу, сначала решили пройтись по дорожкам между деревьями, так сказать, нагулять аппетит и... поговорить в стороне от любопытных ушей.

– Ты и вправду думаешь, что мною плотно заинтересовался Киото Мавари? – спросил Вениамин.

– В этом нет ничего удивительного. Его интересует каждый новый человек, появляющийся в Харбине. К тому же раньше я не говорил ему о существовании двоюродного брата. Правда, он и не спрашивал. Но это дела не меняет. Будь завтра предельно осторожен. Киото Мавари – человек опасный.

– Будешь смеяться, но я об этом догадываюсь, – улыбнулся Вениамин. – Сколько лет ты с ним работаешь?

– Да уже, пожалуй, с четверть века.

– Что ж, надо отдать должное твоей изворотливости.

– Черт возьми, я смертельно устал! – тяжело вздохнул Рийзман. – Япония, Корея, Китай... Надоело все хуже горькой редьки. Домой хочется, в Москву. Как там?

– Теперь – хорошо. Люди празднуют победу...

– Ладно, не будем распускать слюни. Когда-нибудь и моя командировка закончится. Вернусь в Россию и буду жить в каком-нибудь маленьком подмосковном городишке... – мечтательно проговорил Рийзман.

– Ты же не хотел распускать слюни, – усмехнулся Кегельбаум.

– Да-да, конечно. Ты прав. Скажи, ты в Харбин один приехал?

– Не скажу, – просто ответил Вениамин.

– Извини, я, наверное, старею. Начал задавать глупые вопросы.

– Больше не задавай. Я этого не люблю.

– Договорились. Идем ужинать?

– Идем.

Загляни читатель на то застолье, и непременно узнал бы в Вениамине Кегельбауме давнего знакомого – полковника военной контрразведки «Смерш» Ивана Степановича Журбина.

А старый богатый ресторатор Борис Рийзман был известен в Москве, на Лубянке, как полковник Главного разведывательного управления Красной Армии Моисей Абрамович Либман, легализованный в Харбине еще в 1921 году. Ему-то Центром и было поручено организовать для нашего контрразведчика так называемую «крышу» и грамотно «подвести» его к полковнику «Токуму кикан» господину Киото Мавари.

Где сейчас находился и чем был занят агент оперативного прикрытия старший лейтенант госбезопасности Николай Каблуков, пока что для всех оставалось тайной. Его миссия особая. И в Харбине он оказался, не привлекая к себе ничьего внимания и никоим образом не контактируя с Журбиным. Таковы были означенные условия конспирации.

...После ужина «братья» вновь решили прогуляться по саду.

– Ты должен знать, Вениамин, – тихо говорил Рийзман. – Киото Мавари везде передвигается с охраной. Телохранители – камикадзе из отряда «Облако 900». С ними шутки плохи. Я не знаю цели твоего задания, но предупреждаю: с момента появления в Харбине ты под постоянным «колпаком» «Токуму кикан» . Эта разведка будет похлеще Абвера. Они в самом начале войны сожрали Рихарда Зорге и многих других наших. Повторюсь: будь предельно осторожен. На всякий случай возьми. – Он протянул Кегельбауму документы.

– Что это?

– Два паспорта на разные имена. Фотографии в них – твои. Еще дам тебе денег всяких и обеспечу оружием – организуешь где-нибудь в городе тайник. Не думаю, что тебя надо учить, как это делается. Есть еще несколько конспиративных квартир – адреса и пароли получишь позже. У меня жить долго не будешь – подыщешь себе приличную квартиру. Как у тебя с китайским?.. Хотя зачем я спрашиваю?

– С китайским нормально. Спасибо, Боря. Не знаю, что бы без твоей помощи здесь делал.

– Центр благодари, а то стал бы я тут с тобой возиться! – улыбнулся в ответ Риизман.

ШИФРОГРАММА:

«Москва. Центр.

С братом встретился благополучно. Намечается первый личный контакт с полковником Киото Мавари.

Племянник обосновался в Харбине самостоятельно. Поддерживаем связь через тайник.

Приступаю к подготовке операции.

Жду дальнейших указаний.

Ахиллес».

Глава 1. МАНЬЧЖУРСКИЙ ГОСТЬ

На время работы в оккупированном японскими милитаристами Харбине полковнику государственной безопасности Журбину Центр присвоил оперативный псевдоним «Ахиллес». Москва верила в его неуязвимость.

Старшего лейтенанта государственной безопасности Каблукова назвали «Племянником».

Глава 2

АХИЛЛЕСОВА ПЯТА

Я догадывался, что полковник Киото Мавари тщательно готовился к назначенной встрече со мной. Наверняка переполошил всю свою агентуру в Турции и России, расставил «топтунов» вокруг ресторана «брата» и напичкал подслушивающими устройствами все обеденные столики в заведении.

Но прежде всего он «копал» мою легенду. Действительно ли я появился в Харбине из Константинополя, правда ли, что работал там с портовыми докерами, была ли у меня жена и от какой такой болезни умерла... Что случилось в большевистской Одессе с моим папашей-судовладельцем, куда подевался опекун-учитель, вывезший меня в Турцию (он, кстати, по той же легенде, подрался в порту с моряками и его попросту зарезали). Правильно работаете, господин Киото. Я бы тоже так поступил на вашем месте. Но в надежности легенды, составленной для меня специалистами на Лубянке, я не сомневался ни на йоту. Наши люди свое дело знали.

...В тот день, задолго до семи часов вечера, я бесцельно бродил по городу и бестолково глазел по сторонам.

Усердно изображая безмятежного бездельника, старался держаться свободно и непринужденно. Хотя постоянно помнил, что за мною уже следят люди полковника Киото Мавари. Проверять же наличие «хвоста» даже не собирался, чтобы не вызывать лишних подозрений. Постепенно вжился в роль праздного туриста.

Между прочим, Харбин потряс меня. Кто-то из историков очень верно подметил: если карту китайской провинции Хэйлунцзян сравнить с лебедем, то город Харбин – это жемчужина на его изящной шее.

Когда-то Харбин был небольшой рыбацкой деревушкой на берегу реки Сунхуацзян, протекающей на севере Китая.

В то время здесь жили всего несколько рыбацких семей, которые вели обособленную, закрытую от внешнего мира жизнь. После 1898 года, когда здесь начали строить железную дорогу, протянувшуюся с запада на восток, прежняя тишина была нарушена. Именно в это время в Харбин приехало много русских.

Русские не только довели до здешних мест железную дорогу, но и начали строить город. До сих пор в Харбине сохранилось много строений, имеющих ярко выраженный русский стиль и демонстрирующих людям первоначальную, более чем столетнюю историю развития этого города (тогда, в 1945 году, я еще не знал, что посещу Харбин спустя шестьдесят лет, будучи глубоким стариком!)

Гуляя по центру, я просто обалдел от храма Святой Софии на Центральной улице, что располагался неподалеку от ресторана Бориса Рийзмана.

Византийское строение, возведенное еще 1907 году, поражало своим величием. Говорят, когда-то этот храм был самым большим не только в Харбине, но и на всем Дальнем Востоке. Кроме того, он со времен постройки считался священным местом, куда стремились попасть многие православные верующие.

Совершенные изгибы куполов, остроконечные навершия древней русской церковной архитектуры, темно-красный кирпич – все это невольно заставило меня ощутить торжество и благоговение.

В самом храме двухъярусный свод напоминал беспредельные райские выси, прекрасные фрески, правда, уже облупившиеся, свидетельствовали о прежнем великолепии.

У случайных прохожих я узнал, что не менее знаменита и сама Центральная улица. Вымощенная булыжником, она была (да и остается по сей день) самой известной в Харбине пешеходной торговой улицей.

Оживленная толпа двигалась по обеим сторонам, вдоль которых тянулся ряд зданий, построенных архитекторами разных стран мира.

Оказывается, Центральная была построена в 1898 году и называлась сначала Китайской улицей. В 1925 году ее переименовали в Центральную. Семьдесят с лишним основных зданий выстроены здесь в европейском стиле. Барокко, модерн, неоклассицизм...

Один старый китаец рассказал мне во время той давней прогулки, что пятьдесят с лишним лет тому назад (а сегодня уже сто лет!) вслед за русскими сюда приехало много людей со всей земли. Здесь продавались меха из России, французские духи, немецкие лекарства, американский бензин, швейцарские часы...

Однако я увлекся. Часы на моей руке показывали половину седьмого. Ровно через тридцать минут я должен был явиться на встречу с полковником Киото Мавари. И эта первая встреча вполне могла стать для меня последней.

Подходя к ресторану, я заметил, что на небольшом отдалении маячит фигура Николая Каблукова. Значит, он нашел мой тайник и получил информацию о рискованной аудиенции.

Условным сигналом Коля дал мне понять, что в случае возникновения критической ситуации готов к открытому бою, готов отвлечь агентов «Токуму кикан» на себя и, таким образом, обеспечить мое исчезновение с места возможного провала. Приехав следом за мной в Харбин, он фактически шел на верную смерть. А я сам? Лучше об этом не думать.

Представляю себя на месте Бориса Рийзмана! Если бы старик, двадцать пять лет отработавший в недрах японской разведки, постоянно думал о провале, то либо провалился бы на самом деле, либо попросту сошел бы с ума. Ни того ни другого не произошло до сих пор, слава богу. Мне бы его нервы.

Еще до приезда в Харбин я долго размышлял над тем, как приблизиться к полковнику Киото Мавари. Теперь же получалось, что он сам ищет встречи со мной. С какой целью я ему понадобился так срочно?

Безусловно, полковник затевал какую-то авантюрную игру. Но какая роль в этой игре отводилась мне?

ПО ДАННЫМ ФСБ РОССИЙСКОЙ ФЕДЕРАЦИИ:

Подрывную работу против Советской России японцы организовывали на основе агентурной сети. Для этого использовали корейцев, китайцев и белоэмигрантов.

Объем работы разведывательных служб Японии постоянно рос. Теперь требовался совершенно новый подход к организациям русских эмигрантов, и в 1934 году именно по инициативе бывшего начальника Харбинской ЯВМ (японской военной миссии) Андо Риндзо и сотрудника второго управления генштаба Квантунской армии Акикусы было создано Бюро по делам российских эмигрантов в Маньчжоу-го (БРЭМ).

Уже на следствии, в 1945 году, Акикуса рассказывал, что у Бюро было две основные задачи – объединить русскую эмиграцию, чтобы руководить ее деятельностью, оказывая на эмигрантские организации чисто японское влияние, и активизировать под японским контролем антисоветскую пропаганду и разведывательную работу.

Японцы руководили этой организацией и финансировали ее вплоть до 1944 года, правда ссылаясь на то, что формально деньги на деятельность Бюро по делам российских эмигрантов шли из бюджета правительства Маньчжоу-го.

В 1945 году японские власти даже позаботились о безопасности работников БРЭМ.

13 августа на одном из путей Харбинского вокзала стоял строго охраняемый японскими военными пустой поезд, состоявший из трех вагонов первого и второго классов и старого паровоза. Этот поезд предназначался для русских эмигрантов, работавших на Японию, и для нескольких японцев, их сопровождавших.

В то время вокзал Харбина был переполнен японскими беженцами, пытавшимися покинуть город, в который вот-вот должны были войти советские войска.

Само собой, вся жизнедеятельность БРЭМ замыкалась на разведку Японии.

Харбинская разведшкола была создана японцами еще в 1937 году, она просуществовала целых семь лет и в 1944 году была объединена с особым отрядом «Облако 900».

Комплектовалась разведшкола за счет русской эмиграции. Наиболее способные курсанты зачислялись в кадровый состав японской разведки, остальные после индивидуальной подготовки забрасывались на территорию СССР.

Курсанты обучались в течение года. В год обучалось около 70 будущих диверсантов.

Особое место в разведшколе занимал идеологический сектор.

Японское информационно-разведывательное управление занималось подготовкой и заброской в СССР антисоветских листовок, плакатов, брошюр и фальшивой валюты. При этом обойтись без русских эмигрантов японцы были просто не в состоянии. Эмигранты редко отказывали японцам в помощи.

Взаимосвязь российских эмигрантских партий и объединений с зарубежными спецслужбами была настолько тесной, что при эмигрантских объединениях создавались отделы внутренней контрразведки, финансируемые разведкой той или иной страны.

Таким образом, политическая деятельность эмигрантских партий и организаций стала напрямую зависеть от «руководящей роли» иностранного хозяина. Эта тенденция наиболее ярко выразилась в деятельности эмигрантских организаций в Маньчжоу-го в период с 1934 по 1945 год.

* * *

– Господин Кегельбаум? – Киото Мавари поднялся мне навстречу из-за столика, за которым сидел в отдельном кабинете, и любезно раскланялся, традиционно узкоглазо улыбаясь. Говорил по-русски. – Я очень рад вас видеть в Харбине!

– Я тоже рад, – ответил я нарочито таким тоном, как если бы от души и со всем славянским размахом послал его на хер.

– Мне ваш брат много о вас рассказывал! – продолжал улыбаться Киото Мавари, как будто не замечая моей открытой неприязни.

– Мне он тоже о вас рассказал, – грубовато произнес я. – Поэтому, как поздоровались, так давайте и расстанемся. Я не хочу работать ни на разведку, ни на полицию, ни на жандармов. Я в Харбин приехал просто жить и не намерен ввязываться ни в какие дурацкие интриги.

– Не горячитесь, мой друг, – мягко проговорил Киото. – Дурацкие интриги создают дураки. А умные люди – такие, как мы с вами, – умеют из всего извлекать выгоду. Причем заметьте, немалую.

– Что значит «немалую»? – сделал я вид, будто бы заинтересовался этой произнесенной фразой.

– Ну, вы ведь не собираетесь, проживая в Харбине, всчно сидеть на шее у своего престарелого брата?

– Не собираюсь, – ответил я уже более покорным тоном. – Я собираюсь работать.

– Где, извините, работать? Вы полагаете, что сегодня в Харбине так просто найти приличную работу? Ни мусорщиком, ни полотером в ресторан вас, поверьте мне на слово, не возьмут.

– Брат поможет, – уверенно заявил я.

– Не поможет, – столь же уверенно ответил мне Киото Мавари.

– Ну, хорошо. Какую работу вы мне можете предложить? Строчить доносы?

– На кого?! – откровенно расхохотался полковник. – Кого из серьезных людей вы здесь знаете, с кем связаны дружбой или хотя бы приятельскими отношениями? Чтобы строчить, как вы изволили выразиться, доносы, могущие заинтересовать разведку, необходимо владеть более или менее важной информацией. От вас же в этом смысле пользы мало.

– Тогда – что? – спросил я.

– Я хорошо и давно знаю вашего брата. Мы, можно сказать, друзья не один десяток лет. И потому для начала обеспечу вам доступ к информации. Сначала познакомлю с людьми из БРЭМ. Вы знаете, что это такое?

– Понятия не имею.

– Бюро по делам российских эмигрантов – старая и солидная организация, состоящая из господ, не пожелавших в свое время оставаться в большевистской России. Пообщаетесь с ними, подружитесь...

– Ага! – кивнул я. – А потом на них же стану вам доносить!

– Ну что вы заладили «доносить-доносить», «доноситьдоносить»! У меня на вас гораздо более серьезные планы.

– Боюсь, что я не смогу ваши планы осуществить, – отрезал я. – Прощайте, полковник.

Я резко встал из-за стола и шагнул к выходу из кабинета. В открывшуюся дверь как раз входил Борис. Я резко оттолкнул его плечом и покинул помещение.

* * *

– О! Боже мой! Что с ним?! – Борис Рийзман растерянно стоял перед улыбающимся Киото Мавари. – Мальчишка наверняка нахамил вам, господин полковник?!

– Ничуть, – ответил Киото Мавари. – Он показал себя во всей красе. Был искренним и открытым. А это – главное. Пожалуй, я займусь им всерьез.

– Если не секрет, что вы собираетесь предпринять? – осторожно спросил Рийзман.

– Какие от вас секреты! – воскликнул полковник. – Ваш брат пройдет ряд проверок и затем будет зачислен курсантом в одну из моих школ.

– Вы сделаете из моего брата террориста-смертника?! – ужаснулся Рийзман.

– Нет, – покачал головой Киото Мавари. – С таким характером он достоин большего. Я сделаю из него разведчика. И он будет работать в России. Он будет блестяще работать в России!

– А если он заупрямится, не согласится?..

– Он обязательно согласится, – заверил полковник. – Мне еще никто не отказывал...

* * *

Вечером того же дня в доме ресторатора Рийзмана разразился настоящий скандал.

– Да пошел ты в задницу со своим полковником!!! – до хрипоты кричал Вениамин Кегельбаум. – Ты сам сидишь по уши в дерьме и меня в это дерьмо тянешь! Не хочу и не буду я больше встречаться с ним!

– Веня! Венечка! – жалостливо причитал Рийзман. – Ты еще молод и ничего не понимаешь в нашей жизни! Это –

Харбин. Здесь свои законы. А полковник Киото Мавари – хозяин в этом городе! Он тебя в порошок сотрет!

– А наплевать! Пусть сотрет! Только работать я на него не буду. Точка!

– Он предлагает тебе блестящие перспективы, и ты не должен от его предложения отказываться. В конце концов, ты погубишь и себя, и меня... Зачем ты только приехал сюда, на мою старую больную голову?! Лучше бы ты оставался там, где был, видит Бог!

– Что?! Ты уже сожалеешь о моем приезде?! Да грош тебе цена после этого, дорогой братец! Плевать я на тебя хотел! Все! Собираю вещи и ухожу! Оставайся со своим полковником, целуй его в жопу, баран старый!

Действительно, спустя некоторое время Вениамин Кегельбаум с одним большим чемоданом в руке стремительно вышел из дома двоюродного брата и зашагал куда глаза глядели.

На расстоянии его скрытно сопровождали: агенты полковника Киото Мавари и... Николай Каблуков, который следил и за своим товарищем, и за агентами наружного наблюдения «Токуму кикан».

* * *

– На мой взгляд, он слишком вспыльчив для работы в разведке, – высказал свое мнение капитан Фудзинаи. – Мы только и слышим, как он кричит и отрицает все на свете.

– Вы не правы, капитан, – возразил полковник Киото Мавари. – Это не безоглядная вспыльчивость. Он имеет свою твердую точку зрения. У него есть стержень, характер. И это уже хорошо. Есть и другое – воспитанная с детства ненависть к большевикам. Мы сведем воедино два этих замечательных качества и сделаем из Кегельбаума нашего верного союзника. Вода камень точит, мой друг. А мягкое всегда побеждает твердое. Запомните это раз и навсегда. Где он поселился после того, как рассорился с братом?

– В квартале Хаэнити Футэси снял комнату.

– Вот и хорошо. Один-одинешенек в чужом Харбине, влачит жалкое существование в квартале для нищих. Через день-другой у него не найдется монеты, чтобы купить себе даже кусок хлеба. А мы поможем. Деликатно поможем. Вовремя.

– Как поступать со службами наблюдения?

– Вести наблюдение круглосуточно. Квартиру, в которой он проживает, поставить на прослушивание. Все контакты и связи, даже мимолетные и случайные, тщательно изучать и фиксировать в заведенном досье. И еще раз проработайте его константинопольскую эпопею. Я должен быть на сто процентов уверен, что там все чисто.

– Будет исполнено, господин полковник.

* * *

...А меня нещадно жрали клопы и какие-то странные вши величиной с нормального русского таракана. Жрали с таким аппетитом, что у меня складывалось впечатление, будто эти ползучие твари где-то исподтишка хлебнули китайской рисовой водки и теперь с удовольствием закусывали.

В убогой комнатухе площадью не более пяти квадратных метров на тюфяке, брошенном прямо на грязный немытый пол, я ворочался с боку на бок до тех пор, пока тело мое сплошь не покрылось красными зудящими прыщами. К тому же от множественных укусов, похоже, начиналась аллергия. Ощущения, скажу вам, не из приятных.

Отлежав на жестком тюфяке все свои несчастные кости, я решил среди ночи немного прогуляться и подышать свежим воздухом, если он, конечно, был в этом районе, заваленном мусорными отходами, которые вечно пьяная беднота Харбина выбрасывала из своих квартир прямо в окна. Сюда же из ведер – с верхних этажей – беззастенчиво выливались помои и прочие «прелести», относящиеся к остаткам жизнедеятельности человека.

Хаэнити Футэси – район, в котором моему взору открылся другой Харбин, изнанка, можно сказать, великого древнего города.

Стараясь быстрее покинуть бедняцкие кварталы, я прошел проходным двором, затем узкими переулками – по направлению к центру города, намереваясь попасть к набережной реки Сунхуацзян, там пространство продувалось свежим ветерком и было относительно чисто.

Напрасно я поступил столь опрометчиво.

В первом же темном переулке, совсем неподалеку от полуразвалившегося дома, в котором я снимал убогую комнату, дорогу мне преградили шестеро китайцев.

– Русская! – пролепетал один из них, как лягушонок проквакал. – Стой тихая, деньга давай!

– Чего надо, мужики? Шли бы вы своей дорогой, – ответил я по-русски и сразу же повторил фразу на китайском: – Я вас не трогаю, и вы ко мне не приставайте.

– Выворачивай карманы, урод! – на китайском же проговорил другой грабитель. – Да поторапливайся! У нас мало времени!

Черт меня побери! Все шестеро достали из-за поясов большие рыбацкие ножи и нарочито агрессивно продемонстрировали мне широкие, безукоризненно отточенные лезвия.

Обступив меня со всех сторон, они принялись дергать меня за одежду и толкать друг к другу.

– Быстро отдавай деньги, иначе мы тебя убьем!

– Кошелек у тебя есть, русский?

– Хочешь жить – расставайся с деньгами!

Деньги у меня были. Немного. Но отдавать их этим людям я, само собой, не собирался.

Китайцы были низкорослые и щуплые, тощие даже, как жертвы Освенцима. А я – под два метра ростом и шириной в плечах, как танк Т-34. Но это дела не меняло. Потому что их было шестеро, а я – один. Они с ножами, похожими на клыки саблезубого тигра, а я, как на грех, совершенно без оружия.

И вот первый из них сделал выпад, чтобы ткнуть меня острием лезвия в живот. Уверен: не заколоть хотел, а лишь припугнуть, чтобы я сам отдал им свои скромные сбережения.

Припугнуть не удалось. Я буквально взбесился от такой наглости. Ну, скажите мне на милость, что это за примочки дурацкие – в живого человека железкой отточенной тыкать?! Или мало меня убивали в моей жизни?!

Нет, ребята-китайчата, так дело не пойдет. Я вам сейчас ваши глазенки узкие на тощие жопы понатягиваю!

И принялся, что называется, натягивать.

Того, кто первый махнул ножом, молниеносно приласкал кулаком по башке. Башка эта сразу же чуть не отвалилась. Китаец в прямом смысле слова проделал в воздухе сальто, бухнулся на мостовую и больше не шевелился. Широкий длинный нож его отлетел далеко в сторону.

Зато оставшиеся пятеро не бросились с перепугу бежать, прося спасения у Будды, а накинулись на меня с разных сторон всей своей отощавшей и обнаглевшей сворой.

Но вот что я заметил – убивать меня они не собирались. Четко били руками и ногами, демонстрируя неплохую, в общем-то, технику борьбы кун-фу: лупили своими длинными ножами по голове, по ребрам. Но не резали, не кололи, а наносили удары плашмя, что, впрочем, тоже не очень приятно.

Отмахиваясь от них, насколько мне это позволяла возникшая ситуация, я одновременно прокручивал в мозгах скрежещущие от напряжения мысли. Если эти китайские товарищи не убивают меня, значит... А что это значит, на самом деле? Им было бы проще прирезать меня и забрать из кармана деньги, благополучно затем смывшись с места преступления. Но они просто лупили меня чем ни попадя.

Киото Мавари!!! Неужели это он подослал ко мне уличных бандитов с целью запугать?!

Забавно. Этот полковник, похоже, не знает, что запугать меня невозможно.

Ну, сейчас я вам покажу, знатоки кун-фу, как дерутся русские офицеры!

Крутясь как белка в колесе, я наносил им один за другим стремительные и мощные удары ногами и руками. Видит Бог, любой нормальный человек от первого же такого тычка отдал бы тому самому Богу душу. А эти головастики отлетали в стороны, падали на землю, а потом пружинисто подпрыгивали и кидались на меня с удвоенной яростью. Кроме того, пара-тройка из них сумела достать меня своими атаками. Я получил «подачу» ребром ступни в голову и почувствовал, что явно схлопотал легкое сотрясение мозга. С другой стороны, это хороший признак: значит, мозги в моей голове все-таки еще были. Но следующий китаец подлетел ко мне ястребом и засадил такую серию кулачных ударов в живот, что я, согнувшись в три погибели, рухнул как подкошенный.

В последние секунды, перед тем как потерять сознание, я заметил, что к нам, дерущимся, подбежал еще какой-то мужчина. Лица его я не разглядел в темноте. Но был он высок и широкоплеч, молод и силен. Он стал так расшвыривать китайчат в разные стороны, что они завизжали как молоденькие поросята, которых свинарь тянет из загона за крючковатые хвостики. На моих глазах двое из нападавших были безжалостно расплющены о стену ближайшего дома. Следующему, кинувшемуся на него уже не на шутку с ножом, мой спаситель его же тесаком вспорол живот. Что было дальше, мне неизвестно, поскольку я лишился чувств.

...Очнулся, когда тот широкоплечий, который спас меня от грабителей, громко выругался по-русски:

– Мать твою, китайский городовой!

¨лки-палки! Это же был Николай Каблуков! Он и тащил меня сейчас на своем плече к дому. Вовремя подоспел мой ангел-хранитель, ничего не скажешь.

– Коля, это ты? – еле слышно прохрипел я. – Спасибо... Отпусти, я сам...

– Сам-сам! – проворчал Каблуков. – Они тебе все внутренности отбили. Ну, попробуй сам... – Он опустил меня со своего плеча.

Шатаясь, я встал на ноги.

– Николай, ты откуда здесь взялся?

– Я всегда рядом с тобой, командир, – ответил он. – Сразу в драку не ввязывался: думал, ты сам отмашешься.

– И я так думал.

Справа и слева в темноте мелькнули силуэты людей. Это были явно «шпики» полковника Киото Мавари.

– Коля, за нами следят. Тебе нужно сваливать, – сказал я.

– Знаю, я их заметил, – тихо проговорил он. – Сам до дому доберешься?

– Да, тут недалеко.

Через секунду фигура Каблукова буквально растворилась в темноте. За ним тут же метнулся один из «топтунов», но я был уверен, что Николай оторвется от преследования. В разведшколе этому хорошо учат.

Надо отметить, что китайцы избивали меня в двух шагах от моего дома и, наверное, соседка, Миа Чун Ли, двадцатилетняя девушка, после недавней смерти матери оставшаяся сиротой, наблюдала за всей этой картиной из окна своей комнаты. Так или иначе, как только я вошел в подъезд, она тут же появилась на лестничной клетке и подбежала ко мне.

– Вас сильно били? – спросила она на ломаном русском языке. – Я их знаю. Их все знают в нашем квартале. Это бандиты из соседнего района.

И, поддерживая меня под руку, повела домой. Я тогда подивился силе этой тоненькой хрупкой девочки. Она не сгибалась под моим немалым весом, а идти самостоятельно я на последнем отрезке пути уже почти не мог.

В моей комнате она бережно уложила меня на тюфяк. Я, не в силах больше терпеть боль во всем теле, застонал.

– Господин! – вновь заговорила Миа. – Я сейчас принесу вам лекарства, потерпите немного.

Убежав к себе, она вернулась через несколько минут, держа в руках баночки, пакетики и термос с какой-то вонючей темной жидкостью.

– Я умею лечить, – заверила она. – Мой отец был доктором. Через несколько дней вы поправитесь, господин. Все будет хорошо. Вы, главное, не волнуйтесь и не вставайте. Вам нужно много лежать...

Через пару часов, перед рассветом, мне стало значительно легче. Миа не отходила от меня все это время.

– Ты сказала, что знаешь этих бандитов, – произнес я, в очередной раз отхлебнув целительного настоя из термоса. – Это – правда?

– Да, господин, – ответила Миа. – Они каждую ночь грабят в нашем районе случайных прохожих. Поэтому никто из местных жителей с наступлением темноты на улицу не выходит.

– Слушай, а как же полиция? – наивно спросил я, машинально переходя на китайский язык.

– Харбинская полиция с приходом японских военных перестала существовать, – по-китайски же ответила мне девушка. – А японцам все равно, кто и кого здесь грабит. Бедняки никому не нужны и никого не интересуют.

– Тогда почему эти бандиты меня не убили? – поинтересовался я, будто бы сожалел об этом.

– Убийство – другое дело, – ответила Миа Чун Ли. – Избить человека и ограбить можно. Убить – нет. Представители японской военной миссии издали указ, в котором сказано, что любой китаец, убивший кого бы то ни было, будет сам до смерти забит палками на центральной площади города. И несколько таких случаев уже было. В этом году поймали человека, который ограбил и зарезал рыбака, только что сдавшего свой улов рыночным торговцам. Японские солдаты сначала отрубили убийце руки, выкололи ножами глаза, а потом действительно забили бамбуковыми палками на глазах у горожан.

– Ну и нравы, однако...

Теперь мне многое становилось понятным. Китайцы, напавшие на меня ночью, не имели, скорее всего, к полковнику Киото Мавари никакого отношения. Не стал бы господин Киото действовать так грубо. Просто я не вовремя вышел из дому. Что ж, впредь буду умнее...

* * *

Подняться с тюфяка я не мог еще несколько дней. Все это время меня часто навещала Миа Чун Ли. Милая девушка не только облегчала мои физические страдания после жестоких побоев, но и спасла меня от чудовищных насекомых, ползающих стадами по комнатухе. Она навела в моем жилище чистоту, принесла из своей комнаты небольшой столик и стул, постелила на полу соломенную циновку, исполняющую теперь обязанности ковра. Но главное – несколько раз обработала помещение неизвестным мне водным раствором и «прокурила» каким-то ароматным дымом. Клопы и вши, искусавшие меня чуть ли не до смерти, оказались существами весьма разумными и тотчас же сменили прописку, сбежав в неизвестном направлении.

Миа непрестанно пичкала меня лекарствами, втирала в кожу некую жирную, но приятную на запах мазь, давала пить разные отвары и настои. И прикармливала: варила рис с необычайно вкусными приправами и ломтиками рыбы в кисло-сладком соусе, готовила салаты из морских водорослей, молодых побегов бамбука и рисовой лапши, поила соевым молоком и даже раздобыла где-то банку тушеной свинины, которая от привычной русской отличалась отвратительной жирностью – сплошное топленое сало. Но Миа убеждала меня в том, что это и есть самая вкусная и полезная пища. Да, хоть русский и китаец – братья навек, но вкусы у нас явно разные.

Чем легче мне становилось, тем внимательнее я разглядывал девушку, старательно ухаживавшую за мной.

Миа была стройна и нежна. Ее тонкая кожа дышала здоровьем и молодостью. Прямые черные волосы она либо завязывала на затылке в плотный пучок, либо распускала, и они свободно ниспадали на тонкие плечи. Маленькие босые ноги ступали по соломенной циновке плавно и неслышно, а изящные руки извивались лианами, когда Миа делала мне лечебно-оздоровительный массаж.

Что я там сказал про массаж?!

Да я с ума сходил, когда девушка прикасалась ко мне своими мягкими пальцами! И не было в этих прикосновениях закрепощенности. И не было в них даже оттенка стыда. Она была естественна и свободна в движениях и жестах. А я иногда сгорал от смущения, когда Миа дотрагивалась до тех мест на моем теле, к которым русская женщина даже через десять лет после свадьбы не прикоснется из боязни показаться мужу развратной.

Однажды во время очередного массажного сеанса я все-таки не выдержал и, обняв соблазнительную девушку за шею, притянул ее к себе. Наши губы слились в долгом поцелуе. Я принялся судорожно раздевать ее. Но Миа с мягкой настойчивостью отстранилась.

– В чем дело? – спросил я обиженно. – Что-то не так? Но ты же сама меня заводишь!

– Я вижу, вы уже совсем здоровы, господин, – чуть улыбнувшись, ответила она. – Сейчас день, – Миа указала рукой в оконный проем. – А я приду к вам ночью. Ждите меня этой ночью, господин...

И с гибкостью кошки исчезла за дверью.

Я понял, что лечение мое окончено. Зато началось другое.

...В полночь дверь тихо отворилась, и в комнату вошла Миа – совершенно обнаженная, с распущенными волосами, обворожительно пахнущая жасминовым маслом, которым она, вероятно, растерла свое тело. Я видел ее в тусклом свете луны и понимал, что это самая прекрасная женщина в моей жизни.

Она медленно подошла ко мне и опустилась рядом на колени. Ее влажные губы коснулись моих губ, ее руки принялись легонько ласкать меня. Потом она легла рядом со мной и тихо прошептала мне что-то на ухо. Так тихо, что я не мог разобрать слов.

А затем я – будучи уже на грани умопомрачения! – почувствовал прикосновение ее жадных губ. И руки ее не давали мне покоя, и крохотные ступни ног, как лепестки роз, ласкали меня там, где только можно ласкать. И где нельзя ласкать – тоже ласкали...

Миа не то чтобы позволила мне войти в себя. Когда пришло время, она с нетерпеливостью капризного ребенка вцепилась в мое естество обеими руками. И, как только наши разгоряченные до предела тела соприкоснулись, стала мелко дрожать и радостно коротко вскрикивать, будто райская птица в кущах небесных, завораживая меня этой страстной дрожью, обволакивая мелодичностью и тонким серебряным кружевом своего звонкого девичьего голоса.

...Страсть наша не угасала до тех пор, пока над Харбином не поднялось огромное и красное, как гигантское сочное яблоко, солнце.

– Ты – мой господин... – сладострастно прошептала изможденная девочка и уснула на моей руке, доверчиво прижавшись ко мне всем телом.

* * *

1945 год, июнь. Москва. Лубянка.

Начальник отдела ГУКР «Смерш» генерал Платонов пригласил к себе для беседы полковника Ватрушева, непосредственно курирующего деятельность Журбина в Харбине.

– Как думаешь, Василий Петрович, не сломают японцы твоего Журбина на полпути? – озадаченно спросил генерал.

– Тут гарантий, Алексей Данилович, никто дать не может, – ответил Ватрушев, прихлебывая чай из стакана в серебряном подстаканнике и дымя папиросой. – Хотя вы же сами знаете полковника Журбина. Иван Степанович – чекист опытный, в разных переделках бывал.

– Я знаю и другое: Киото Мавари тоже не пальцем сделанный. Эх, зараза! На Дальнем Востоке вот-вот начнется наше наступление на позиции Квантунской армии. Нам бы успеть их разведку раздолбать к моменту наступления ударных сил!

– Совершенно согласен с вами, товарищ генерал. – Полковник Ватрушев затушил в пепельнице папиросу и допил последний глоток чая, предложенного хозяином кабинета. – Если японцы в Маньчжурии к началу ведения боевых действий останутся без разведки и контрразведки, то победа нам обеспечена ровно наполовину. А в том, что танкисты, авиация и пехота – наши, разумеется – сделают свое дело, я не сомневаюсь. Зато как бы мы им упростили выполнение задачи на поле боя! Сколько жизней смогли бы сберечь!

– Вот и я о том же, – произнес генерал. – Какие последние новости от Журбина?

– Полковник Киото Мавари сам вышел с ним на контакт. Тут сработал авторитет Риййзмана, с которым Киото знаком уже больше двадцати лет. Похоже, в «Токуму кикан» поверили, что Журбин, то есть Вениамин Кегельбаум, является двоюродным братом Бориса Риййзмана и приехал к нему из Константинополя. Ни кола, как говорится, ни двора, ни гроша за душой. Никаких жизненных перспектив. Но молод, здоров и дерзок. Довольно подходящий материал для вербовки. Киото Мавари решил завербовать Журбина-Кегельбаума курсантом в одну из своих разведшкол, чтобы потом использовать на территории Советского Союза.

– А Журбин?

– Журбин ответил резким отказом.

– Не переиграл? – насторожился генерал Платонов. – Не сорвется у него с крючка этот Киото Мавари?

– Думаю, нет. Иван Степанович тонко чувствует оперативную обстановку. Наоборот, с ходу отказав Киото Мавари, он только разжег его интерес к себе еще больше. Теперь, скорее всего, Киото предпримет еще одну попытку вербовки.

– Смотрите, голуби, не перегните палку. Этого Киото Мавари необходимо во что бы то ни стало нейтрализовать еще до начала военных действий на Дальнем Востоке. Это приказ товарища Сталина. Не выполним – всем нам не сносить головы.

– Постараемся, Алексей Данилович.

– Не стараться – делать нужно!

– Так делаем же!

– Так делайте!

– Разрешите идти?

– Я вот скажу, куда тебе идти, если операцию завалите...

* * *

1945 год, июнь. Маньчжурия. Харбин.

Миа Чунь Ли не шла, она летела, как будто на крыльях, спеша очутиться в объятиях своего возлюбленного. Приближающаяся ночь обещала быть жаркой и сладкой.

На перекрестке улиц Саитан и Шелковой возле идущей по тротуару девушки резко остановилась черная машина. Задняя дверца распахнулась. Чьи-то сильные руки схватили ее за плечи и дернули в салон. Как только Миа очутилась в автомобиле, дверца захлопнулась, взревел двигатель, и машина рванула с места, оставляя за собой лишь едкие клубы выхлопных газов.

Проехав через весь Харбин, автомобиль остановился перед одноэтажным домом, в котором располагалась штаб-квартира японской военной миссии.

Смертельный ужас охватил Миа Чунь Ли, когда она увидела, куда ее привезли неизвестные похитители. Впрочем, их ее эмоции ничуть не интересовали. Грубо схватив девушку за руки, двое мужчин выволокли ее из салона авто и потащили в дом. Проведя по коридору в самый конец, бесцеремонно втолкнули в один из кабинетов.

За столом сидел японский офицер в форме полковника.

– Здравствуйте, – любезным тоном проговорил он. – Меня зовут Киото Мавари. А вас, насколько мне известно, Миа Чунь Ли. Красивое китайское имя. Судя по имени, вы из интеллигентной семьи?

Девушка промолчала. Она стояла перед полковником, осунувшись, втянув голову в плечи и дрожа всем своим щуплым тельцем.

– Не молчать!!! – неожиданно закричал полковник. – Кем был ваш отец? Отвечать на мои вопросы!!! – Он схватил трость, отделанную слоновой костью, и несколько раз ударил этой тростью по деревянной столешнице.

– Мой отец был врачом, – пролепетала Миа. – Доктором в городской больнице.

– Вот, уже лучше, – похвалил ее Киото. – Вы, оказывается, умеете разговаривать. Значит, мы с вами договоримся.

– Договоримся – о чем? – затравленно спросила Миа.

– Вы знакомы с Вениамином Кегельбаумом?

Она снова промолчала.

– Я спрашиваю, – полковник повысил тон и, похлопывая по голенищу сапога тростью, приблизился к девушке. – Вам знаком русский, недавно поселившийся по соседству? Его зовут Вениамином Кегельбаумом!

– Да, знаком, – тихо проговорила она, терзаясь чувством вины перед возлюбленным.

Миа еще ничему не могла дать вразумительных объяснений. Но, сообщив полковнику о своем знакомстве с Вениамином, подумала, что совершила нечто недостойное, могущее повредить человеку, которого она полюбила.

– Насколько вы с ним знакомы? – продолжал спрашивать Киото Мавари.

– Что вы имеете в виду?

– Ты знаешь, что я имею в виду!!! – снова закричал полковник. – Я спрашиваю: ты с ним спишь?! Вы – любовники?! Или ты продаешься ему за деньги?! Ты – проститутка?!

– Вы не имеете права... – попыталась возразить Миа.

И тут же получила удар тростью под коленки. Ноги ее не выдержали, и она упала на пол. А полковник вдогонку брезгливо пнул ее носком своего начищенного до блеска сапога. Миа навзрыд заплакала, тоненько подвывая и корчась не столько от боли, сколько от обиды и унижения.

В действительности полковник Киото Мавари мог не задавать ей всех этих вопросов. Он от своих агентов знал, что любовь китайской девушки и русского эмигранта длится уже третью неделю. Но важно было сейчас сломать ее, уничтожить морально и всецело подчинить его собственной воле.

Вениамин Кегельбаум находился под круглосуточным наблюдением сотрудников «Токуму кикан». Но трижды за последние три недели ему удавалось исчезать из поля их зрения. Он неожиданно растворялся в городе и так же внезапно появлялся перед агентами наружного наблюдения. Создавалось впечатление, что он просто играет с ними в кошки-мышки. Такой опасной игры Киото Мавари допускать дальше не мог. Как уже сказано, три раза Кегельбаум исчезал и находился вне досягаемости почти по четыре часа. Где был? Чем занимался? С кем виделся за это время?

Кроме того, японской разведке был известен и ночной инцидент с уличными грабителями, в результате которого Кегельбаум был жестоко избит. Но в той драке его спас неизвестный человек европейской наружности, который так же лихо ушел от слежки и больше нигде не появлялся. Что за человек? Почему среди ночи решил выручить Кегельбаума из беды? Как ему удалось столь виртуозно «сбросить хвост», уйти от агента, который отправился следом? Что связывает неизвестного европейца и Вениамина Кегельбаума?

По-особому Киото Мавари стал теперь посматривать и на ресторатора Рийзмана. Но старик никаких подозрений не вызывал. Работал так же исправно, как и раньше. Огорчался лишь, что понапрасну рассорился с братом и теперь понятия не имеет, где тот находится и в каких условиях влачит свое существование в Харбине. Да и жив ли вообще? Борис Рийзман искренне ронял слезу и молил своего еврейского бога Давида, чтобы тот вернул ему двоюродного брата целым и невредимым.

Бескорыстная любовь, вспыхнувшая между китайской девчонкой и Вениамином Кегельбаумом, была как нельзя на руку полковнику Киото Мавари. Бесконечно влюбленные всегда слабы перед реальностями жизни, слепы и уязвимы, как младенцы...

– Довольно плакать! – жестко произнес полковник и помог Миа Чунь Ли подняться на ноги. – Я не для того здесь с тобой вожусь, чтобы вытирать твои слезы и сопли. Тебе известно, должно быть, куда ты попала?

– Да, известно, – подтвердила девушка, с трудом приходя в себя.

– Я не стану перед тобой разыгрывать комедию, – вновь заговорил полковник после небольшой паузы. – Скажу прямо: ты вляпалась в очень неприятную историю. В смертельно опасную историю.

– Но что?! – воскликнула Миа. – Что я такого сделала, чтобы разгневать вас, господин полковник?!

– Лично ты, Миа Чунь Ли, ничего плохого еще не совершила. Но тобой пользуются очень нехорошие люди. Опасные люди. Тебя используют в корыстных целях, а ты этого даже не замечаешь. Более того, своей близорукостью и политической неграмотностью ты приносишь значительный вред Великой Японской Империи. Тебя надо казнить за твою глупость!

– Казнить?! – Колени девушки подогнулись сами собой, и она вновь зарыдала от накатившего страха. В Харбине все знали: японская военная миссия шуток не шутит. Скажут казнить и – повесят. Или отрубят голову. Или просто расстреляют. Таких случаев было уже множество. – Помилуйте, господин полковник! – взмолилась она. – Я же ничего не знаю, ни в чем не виновата!

– Замолчи и успокойся, – ровно выговорил Киото Мавари. – Если будешь послушной, я помогу тебе выкрутиться из истории, в которую ты попала по недоразумению. А не послушаешь меня – пристрелю без суда и следствия. Или отдам моим солдатам. Ты меня хорошо поняла?

– Да! Да! Я все хорошо поняла, господин полковник! – воскликнула Миа, поднимаясь с колен. – Я все сделаю, как вы скажете!

– Ну, вот и хорошо, – улыбнулся Киото Мавари и похлопал ее ладонью по щеке, как жокей похлопывает по морде породистую дрессированную кобылу, после долгих трудов подготовленную к конкуру[1]. – Я знал, что ты умная девочка.

[1] Конкур – преодоление препятствий верхом на лошади. Один из видов состязаний в конном спорте.

* * *

Моя любимая Миа где-то задерживалась. А я ждал ее дома и не находил себе места.

Уходя утром из дома, она обычно направлялась в торговые ряды на Центральной улице, чтобы продать там с десяток соломенных вееров и пару зонтиков, сделанных и красочно расписанных ее собственными руками. Это ремесло давало ей крохотный доход и позволяло не умереть с голоду.

Вернуться она должна была не позднее пяти вечера. Часы показывали начало девятого, а ее все не было.

Но, возможно, торговля еще не окончена, и Миа решила не покидать торговых рядов, пока не распродаст свой товар? В конечном счете, с ней вряд ли могло случиться что-то плохое в родном городе.

Чтобы немного отвлечься от мыслей о ней, я стал прокручивать в памяти события трех минувших недель. Они мне дались нелегко.

«Топтуны», приставленные Киото Мавари, не отпускали меня ни на шаг. Кроме того, я подозревал, что каморка, в которой мне приходилось жить, уже давно «на ушах» – прослушивается японской разведкой. Но ничего, кроме наших любовных утех с Миа, они здесь услышать не могли, это понятно. Сложнее было то, что ни подойти к тайникам, заложенным в городе, ни выйти в радиоэфир, чтобы связаться с Центром, я не мог.

Пришлось пойти на хитрость, к которой я уже не раз прибегал в своей практике разведчика.

Один раз мне удалось выбраться на чердак и покинуть дом, в котором жил, через другой подъезд. Тогда агенты наружного наблюдения, говоря попросту, «лопухнулись». Не учли они, что я способен от них по крышам бегать.

В тот день я и в тайник заглянул, и шифрограмму в Москву отправил.

В тайнике лежала записка от Рийзмана, в которой он сообщал, что полковник Киото Мавари всерьез мною заинтересовался и планирует сделать из меня шпиона для заброски на территорию СССР. Столь важную информацию я в ту же ночь отправил в Москву моему руководителю полковнику Ватрушеву. Радио я отправлял прямо с реки, с борта утлого рыболовецкого суденышка, пришвартованного на одной из харбинских пристаней специально для меня кем-то из неизвестных мне сотрудников нашей разведки. Этот способ передачи шифрограмм был оговорен еще в Москве на Лубянке.

Но во второй раз покинуть дом через чердак уже не удалось. Чердачный люк – толстый металлический лист – был прочно заварен электросваркой. Было это делом рук полковника Киото Мавари или кого-то другого, мне до сих пор неизвестно.

Пришлось искать другой способ, чтобы оторваться от слежки. И этот способ нашелся сразу же, как только я решил посетить русский православный храм, действующий в Харбине.

И смешно, как говорится, и грешно. Пришлось спереть у церковного служки рясу, пока тот мылся в душе перед очередной службой. Вот в этой самой рясе, с массивным крестом на груди, я и вышел из церкви. Как ни в чем не бывало прошел в десяти метрах от скучающих агентов наружного наблюдения – и был таков. Интересно, долго они меня ждали возле храма с золотыми куполами? Во всяком случае, пока ждали, я связался с Центром и получил указание: при повторной попытке вербовки со стороны Киото Мавари идти на контакт, соглашаться на все условия. Кроме того, мне строжайшим образом предписывалось прекратить всяческие контакты с Рийзманом, дабы не навлекать на него лишний раз подозрения. Тогда же я запросил Центр, как поступать, если Киото Мавари отправит меня в разведшколу и затем – в СССР? Остается ли прежней моя задача – похитить из Харбина полковника Киото Мавари?

Ответ я получил через неделю, оторвавшись от слежки средь бела дня прямо в центре города. Я знал, что Москва ответит мне не по радио, а через очередной тайник. Чтобы забрать тайную закладку, мне понадобилось всего несколько минут. Я их и использовал.

В распоряжении Центра говорилось:

«Центр. Ахиллесу.

Вербовка в разведшколу "Токуму кикан" допустима.

Направление для нелегальной работы на территории СССР – ни в коем случае.

Ваши задачи:

1. Получение разведданных о деятельности отряда "Облако 900":

2. Организация похищения и переправки в СССР полковника "Токуму кикан" Киото Мавари.

Самодеятельность исключить».

Вот такие дела. Крутись, короче говоря, как хочешь, но и данные из диверсионного отряда японцев добудь, и японского полковника под белы рученьки препроводи на Лубянку красиво, как по проспекту. С ума они там, в Москве, все сошли, что ли?!

...А Миа вернулась домой лишь к десяти часам вечера. Уставшая. Подавленная. Тихая и хмурая. Я никогда еще раньше ее такой не видел.

И не заглянула ко мне в комнату вовсе. Я через стенку услышал, что она у себя. Сначала хлопнула входная дверь. Потом зазвенел металлический чайник.

Прождав ее с полчаса, я сам пошел к ней.

Постучался. Но в ответ не услышал ее голоса.

Тогда без разрешения открыл дверь и вошел в ее комнату.

Миа молча сидела на циновке и смотрела в стену.

Я присел рядом, обнял ее за плечи.

– Любимая, что случилось? Я так ждал тебя!

Она долго молчала. Потом плечи ее стали подрагивать. Затем из глаз покатились крупные слезы. Она повернулась ко мне, долго смотрела на меня, но ничего не говорила. А я старался не давить. Я видел, что ей очень плохо и знал: она сама мне обо всем расскажет.

И она рассказала о своем принудительном визите к полковнику Киото Мавари.

Прижавшись горячими сухими губами к моему уху, шептала еле слышно, наверняка зная, что нас прослушивают.

Из ее рассказа выходило, что Киото Мавари назвал меня русским шпионом и приказал ей следить за мной. Кроме того, в ее обязанности теперь входило еженедельно писать полковнику отчеты о моем пребывании в Харбине.

– Ты согласилась? – спросил я ее так же – шепотом.

Она отрицательно покачала головой. Но потом добавила, шепча в ухо:

– Сначала я испугалась и сказала ему, что готова на все. Но когда услышала, что нужно за тобой шпионить, сразу же ответила отказом.

– А он что?

– Он сказал, чтобы я подумала ровно сутки. Завтра вечером я должна дать ему ответ.

– Что он тебе пообещал в случае окончательного отказа?

– Он сказал, что казнит, как шпионов, и тебя, и меня.

– Но я не шпион! Ты это понимаешь?!

– Понимаю! Конечно, понимаю, любимый!

О, боже мой! Она прижалась ко мне своим трепещущим телом, будто ища защиты и поддержки. Но чем я мог ее защитить в тот момент?

Стыдно – я соврал Миа, сказав, что не имею к шпионажу никакого отношения. Но что мне было делать? Раскрыться перед ней? Сказать: да, милая, я русский шпион и приперся в этот ваш Харбин, будь он неладен, чтобы выкрасть отсюда самого Киото Мавари вместе с его секретами?! Глупо.

Еще глупее и отвратительнее, подло и мерзко было подвергать эту девочку смертельной опасности. Она отказалась следить за мной и тем самым подписала себе смертный приговор.

Нужно было срочно что-то предпринять, чтобы спасти ей жизнь. Но – что?! Что я мог сделать, черт меня побери?!

– Когда ты должна дать ему окончательный ответ? – спросил я все так же шепотом. – Завтра вечером?

– Завтра... – мертвым голосом ответила она.

* * *

...Роскошная блондинка, одетая по последнему писку моды, вальяжно дефилировала по Центральной улице Харбина в сопровождении элегантного кавалера, облаченного в светло-серый двубортный костюм и широкие брюки в полоску.

На женщине было тончайшее шелковое платье чуть ниже колен, приталенное выточками по фигуре, и розовые туфли из лучшего французского салона. Тонкую шею обвивал лазурного цвета газовый шарфик, а милую головку прикрывала белоснежная широкополая шляпа. В руке дама держала умопомрачительно тонкой работы маленькую сумочку, в которую могли поместиться только губная помада, пудреница и носовой платочек. На запястье левой руки красовался жемчужный браслет, в ушах сверкали клипсы с такими же жемчугами.

Лакированные черные туфли кавалера сверкали на ярком июньском солнце. Свою шляпу – мышиного оттенка, изготовленную из тонкой шерсти – он небрежно придерживал рукой. В другой руке была трость с сияющим золотым набалдашником.

Блондинка безмятежно улыбалась, рассматривая торговые витрины.

Кавалер поглядывал на окружающий мир нарочито свысока.

Трость вызывающе постукивала о мостовую.

Прогулявшись по Центральной улице около получаса, яркая парочка вошла в дорогой ресторан, принадлежавший русскому эмигранту Борису Риймзану.

Оба посетителя присели за свободный столик и сделали заказ официанту, подбежавшему к ним на полусогнутых.

...Полковник Киото Мавари был здесь же. Обедал у Риймана. Правда, сегодня приехал на час раньше, чем обычно. Ему даже показалось, что ресторатор разволновался, увидев его на пороге заведения ранее привычного часа. Впрочем, это могло только показаться.

Дверь его отдельного кабинета была приоткрыта, и появление этой парочки не осталось незамеченным.

Как только вошел Рийзман, Киото Мавари спросил:

– Кто они такие? Вы их знаете, господин Рийзман?

– Впервые вижу, господин полковник, – искренне ответил ресторатор.

– Интересная пара, – произнес полковник. – Для нашего смутного времени они вызывающе красивы.

Женщина сидела к полковнику боком. Мужчина же расположился прямо перед ним, и Киото Мавари мог хорошо рассмотреть его лицо – волевое, скуластое. Серые большие глаза смотрели из-под густых бровей почти не мигая, а совершенно седая шевелюра добавляла особую, неповторимую импозантность.

– Узнайте сегодня же к вечеру, господин Рийзман, кто эти люди и откуда они появились в Харбине, – распорядился полковник. – Наверняка они остановились в какой-нибудь из приличных гостиниц.

– Не сомневайтесь, будет сделано, господин полковник, – чуть поклонившись, ответил Рийзман.

Киото Мавари поднялся со своего места и направился к выходу. Проходя вместе с телохранителем мимо столика, за которым расположились блондинка и седой мужчина, полковник хотел получше рассмотреть женщину, но она – как некстати! – достала из сумочки пудреницу и занялась своим лицом.

И все же Киото Мавари уловил в ее облике какие-то знакомые черты. То ли в фигуре, то ли во взгляде... Хотя полковник смотрел на нее только в профиль, а потом она закрылась своей пудреницей. Но где-то он ее раньше видел. Определенно. Вот только не мог припомнить – где. Натренированная зрительная память профессионального разведчика дала сбой.

А ведь они встречались совсем недавно – вчера...

И вчера он бил эту роскошную блондинку тростью под колени! И кричал на нее. И угрожал казнить. И обвинял в преступной связи с русским шпионом.

Только вчера она не была блондинкой. И платьице на ней было другое – попроще. А вместо изящных туфелек из французского салона на ногах были простые стоптанные сандалии.

А ее кавалер... Взгляд у него опасный. Волчий взгляд.

...Как только полковник Киото Мавари вышел из ресторана, Борис Риймзман, не приближаясь к столику, за которым сидела красивая пара, жестом дал понять, чтобы они немедленно следовали за ним.

Блондинка и седой мужчина поднялись и прошли через кухню на задний, огороженный высоким забором, двор ресторана, из которого можно было попасть на параллельную улицу, ведущую прямиком за город.

– У вас мозги есть?! – принялся с ходу ругаться Риймзман. – Какого черта нужно было садиться за столик прямо перед кабинетом полковника Киото Мавари?!

– Вы же сами сказали, чтобы мы пришли к часу дня, – произнес Каблуков (а это именно он сопровождал блондинку, в которой с трудом узнавалась китайская девочка Миа Чун Ли).

– Сказал, – согласился Рийзман. – Но я же не знал, что эта сволочь приедет сегодня на час раньше! Он обычно появляется ровно в четырнадцать. Ладно, что сделано, то сделано. Держите – вот паспорта. Мадам! – Он посмотрел на Миа, дрожащую от страха. – Вы теперь Диана Чин Сонг, гражданка Кореи. Вы – Эрвин Штоф, – взгляд скользнул по Каблукову. – Австрийский журналист, сопровождающий Диану до индийской границы. Там передадите ее нашему проводнику. Всем остальным в Дели займутся англичане. Времени нет – садитесь за руль.

Здесь же, на заднем дворе, беглую парочку ждал автомобиль, заблаговременно подготовленный к дальней поездке.

– А как же Вениа... – Миа хотела спросить о своем возлюбленном.

– Молчать! – прикрикнул на нее Рийзман. – И чтоб я больше этого никогда не слышал! Мы и так с вами крайне рискуем. Вон отсюда оба!

Автомобиль взревел мотором и умчался со двора.

Борис Рийзман устало сел на кирпичные ступени и ладонью вытер пот со лба.

...Сегодня ночью в его доме неожиданно появился Вениамин Кегельбаум и буквально потребовал организации срочной связи с московским руководством.

В результате опаснейших часовых радиопереговоров Центр дал добро на переброску Миа Чун Ли в Индию, занятую английскими союзниками, а оттуда – в Москву.

* * *

...– Как исчезла?! – Полковник Киото Мавари не поверил своим ушам, когда услышал от помощника, что

Миа Чун Ли из дому не выходила, но и в квартире ее нет. Она будто бы растворилась в воздухе, и никто теперь не знал, где ее искать. – Этого не может быть! – вскричал разъяренный Киото.

– Тем не менее, господин полковник, это – факт, – упрямо твердил капитан Фудзинаи. – Мы проверили ее комнату, опросили друзей и знакомых. Ее нигде нет.

– А родственники? – спросил полковник. – Она не могла отправиться к кому-то из родных?

– Во всем Китае, господин полковник, у нее нет ни одной родной души. Она сирота.

– Мистика какая-то... – растерянно проговорил Киото Мавари. – А этот... Кегельбаум?

– Он безвылазно сидит в своей конуре и на улицу носа не высовывает. Ну, разве что выходит изредка за продуктами и сигаретами. Вы с ним говорили о пропаже девицы?

– Говорил полицейский офицер, представив дело таким образом, что Миа Чун Ли разыскивается полицией за совершенную мелкую кражу.

– И что он ответил?

– Все зафиксировано в протоколе допроса. Кегельбаум утверждает, что не видел Миа Чун Ли со вчерашнего дня.

Вербовка девушки не удалась. Кроме того, она вообще выпала из поля зрения Киото Мавари. Таких поражений полковник еще не знал. Но делать было нечего.

– Хорошо, – проговорил он. – Плевать на девчонку. Лучше поплотнее займемся Кегельбаумом...

* * *

Я чувствовал, что точка критического отсчета совсем рядом. После исчезновения Миа полковник Киото Мавари медлить не станет и предпримет самые решительные действия, чтобы привлечь меня к своей работе. Вот только что он предпримет – оставалось для меня загадкой.

Вообще процесс вербовки мог осуществляться несколькими способами. Это и подкуп, и попытка склонить вербуемого на сторону вербовщика по идеологическим соображениям, и применение физических пыток с целью устрашения, и воздействие через шантаж. Кстати, все разведки мира используют одни и те же методы. Нового еще никто не придумал и вряд ли придумает когда-либо.

С учетом того, что судьба да и сама жизнь моя висела сейчас на волоске, особенно после того, как мы с Каблуковым и Рийзманом спасли Миа, я принял решение на связь с нашими товарищами временно не выходить и уж тем более не соваться к тайникам и спрятанной в городе радиостанции. Необходимо было выжидать до той поры, пока полковник Киото Мавари не проявит себя с новой активностью.

Впрочем, долго ждать не пришлось.

Выйдя на улицу, чтобы купить себе немного рисового хлеба и маринованной пекинской капусты, я отправился на ближайший маленький рынок, где обычно отоваривались бедняки. Естественно, за мной тут же увязались агенты наружного наблюдения. Я уже привык к их присутствию у себя за спиной. Иногда даже казалось: вот не окажется никого, идущего следом и сверлящего меня глазами – так ведь заскучаю!

...Пробираясь в толчее к нужным мне прилавкам, я знал, что и «топтуны» не отстают, расталкивая галдящих торговцев и покупателей локтями. Но не волновался, потому что ничего странного или незаконного в этот момент делать не собирался. Покупка хлеба и капусты – дело обычное, всякому кушать хочется.

Народу на рынке было как насекомых в муравейнике. Все шумели и толкались. Продавцы старались, как могли, разрекламировать свой товар, покупатели спорили и ругались, пытаясь сбить цену.

Я уже почти подошел к торговцу рисовыми лепешками, когда навстречу мне шагнул молодой парень и громко обратился:

– Господин!

Я повернулся к нему лицом с вопросом во взгляде...

– Подержите! – решительно произнес парень и сунул в мою руку что-то напоминающее обрезок трубы. Все происходило молниеносно.

Я невольно сжал в ладони предмет, который посчитал обрезком водопроводной трубы небольшого диаметра. А парень... с бешеной скоростью ринулся ко мне вплотную и...

Кошмар. Противоположный конец этого металлического обрезка оказался заточенным, как пика или острие кинжала. Таким образом, парень сам себя убил, напоровшись на эту злосчастную заточку.

И тут же кто-то совсем рядом истошно закричал:

– Убийца!!! Он убил человека!!!

Кишки парня вывалились наружу, а сам он замертво рухнул прямо у моих ног.

Я бы, наверное, смог скрыться. Но в ту же секунду на месте происшествия как из-под земли выросли двое полицейских.

– Стоять на месте!!! Не двигаться!!! Ты арестован!!! – закричали они мне.

И, не сказав больше ни слова, принялись избивать меня бамбуковыми палками.

Мои «топтуны» куда-то подевались.

А полицейские очень скоро сделали из меня настоящую отбивную котлету. Окровавленный с ног до головы, я не мог уже передвигаться самостоятельно. Стражи порядка подхватили меня под руки и поволокли к синему полицейскому фургону.

Через пятнадцать минут я был уже в участке. Интуиция подсказывала: никому здесь не нужно объяснять, что тот парень сам напоролся на свою же заточку. Никто мне не поверит, да и слушать меня никто не станет.

Так оно все и вышло. Протащив мимо дежурного, двое полицейских, не раздумывая, швырнули меня в темную сырую камеру, не имеющую даже окна.

Придя в себя через несколько часов, я попытался проанализировать ситуацию. Кто он был, тот самоубийца? Сумасшедший? Не исключено, но маловероятно.

Скорее всего, Киото Мавари подослал ко мне одного из своих камикадзе.

Не успел я об этом подумать, как железная дверь камеры отворилась, и в светлом проеме показалась фигура полковника.

– Вы меня поражаете, господин Кегельбаум, – с улыбкой произнес Киото Мавари. – Не успели появиться в Харбине, а уже и ночную драку устроили, и любовный роман закрутили, и даже убили человека.

– Бросьте, полковник! – рявкнул я в ответ. – Убийство на рынке вы же сами и подстроили!

– Вы ни о чем не хотите со мной поговорить? – спросил Киото Мавари, продолжая улыбаться.

– Вы догадливы! – осклабился я щербатым окровавленным ртом. Блюстители закона, избивая меня на рынке, выколотили мне несколько зубов. – Нам с вами по-прежнему разговаривать не о чем.

– Ну, хорошо, – кивнул полковник. – Я не буду настаивать.

Медленно развернувшись, он покинул камеру.

И все бы, как говорится, хорошо, но тут же в двери показались двое надзирателей.

Приблизившись ко мне молча, они в четыре ноги принялись меня пинать. Били не меньше часа. А я уже не чувствовал боли, перекатываясь в луже собственной крови и харкая кусками отбитых легких.

...Киото Мавари вновь появился к вечеру.

– Вам здесь нравится? – спросил он.

– Очень нравится! – ответил я злорадно. – Просто как на курорте!

– В таком случае не тешьте себя иллюзиями, – произнес полковник. – В покое вас никто не оставит. Бить будут каждый день на протяжении недели. И – либо вы сдохнете от побоев в этой камере, либо вас казнят, как убийцу, на центральной площади Харбина. Вам сначала отрубят руки. Потом ноги. А затем, если вы не умрете от болевого шока, забьют до смерти палками.

– Мне уже все равно, – упрямо произнес я и отвернулся.

Я не слышал, как Киото Мавари вышел из камерного помещения. Зато сразу же почувствовал на своем теле жесткие удары и повалился на пол. Надзиратели бить умели.

Вскоре потеряв сознание, я очнулся лишь на второй день.

Полицейский вылил на меня сверху два ведра ледяной воды.

Открыв глаза, я застонал. И тут же услышал голос Киото Мавари:

– Ну, наконец-то вы подали признаки жизни! Я рад, что все обошлось, и вы не умерли раньше времени.

– Раньше какого времени? – спросил я, превозмогая адскую боль и еле шевеля разбитыми и опухшими губами.

– Раньше того, как я успею еще раз сделать вам предложение: либо смертная казнь за совершенное убийство, либо учеба и затем работа в моем ведомстве.

Я в ответ промычал что-то нечленораздельное.

– Хочу предупредить, – снова заговорил полковник. – Это мое предложение – последнее.

– Я... согласен... – прошептал я и выплюнул на пол большой черный сгусток крови.

– Вы согласны на что? – решил уточнить Киото Мавари. – Быть казненным или работать на меня? Я хочу услышать совершенно точный и определенный ответ.

– Я... согласен... работать... на... вас...

– Браво, господин Кегельбаум! – заулыбался Киото Мавари. – Я рад, что мы становимся друзьями. С этого дня жизнь ваша круто изменится. И, поверье мне, изменится она в лучшую сторону. Вы навсегда позабудете обо всех кошмарах и страданиях. Впереди у вас большое будущее, яркая жизнь и, возможно, спокойная обеспеченная старость.

Вряд ли полковник Киото Мавари сам верил в то, что говорил мне тогда. Какая судьба и какая спокойная старость могла ожидать человека, которого будут готовить для заброски в Советский Союз? В сорок пятом году уже весь мир знал о качестве работы русской военной контрразведки «Смерш». Диверсанты, заброшенные в тыл Красной Армии, в подавляющем своем большинстве были обречены на провал. Десятки и сотни их уничтожались в первые же часы пребывания на территории СССР. Еще столько же расстреливалось по приговору военного трибунала. Многие «проваливались» в ходе выполнения боевых заданий или сами сдавались в плен, попадая затем в лагеря и сгнивая там заживо.

Но Киото Мавари рисовал мне радужные картины и долго еще рассказывал о будущих романтических приключениях секретного агента японской разведки.

– Возможно, через какое-то время вы станете лучшим моим другом, господин Кегельбаум, – улыбаясь, говорил он, когда я уже лежал на излечении после перенесенных побоев в закрытом госпитале японской военной миссии в Харбине. – Вы будете богаты и счастливы...

– Это... подло... – простонал я, сжав зубы.

– Что – подло? – почти искренне удивился Киото Мавари.

– Гадко и подло обещать мне то, чего никогда не случится. Я обречен, и вам это прекрасно известно.

– Совершенно верно, – согласился со мной полковник. – Но привыкайте, друг мой, к изнанке бытия. Жизнь вообще подлая и грязная штука... Я просто обязан вселить в вас боевой дух и настроить на великие дела во имя процветания Японской Империи...

ШИФРОГРАММА:

«Москва. Центр.

Вербовка "Ахиллеса" состоялась. Обвинен в убийстве. Вынужден согласиться с условиями вербовщика.

В настоящее время "Ахиллес" проходит курс лечения в госпитале ЯВМ.

Переброска "Ахиллеса" в разведывательно-диверсионную школу ЯВМ "Облако 900" должно состояться через неделю.

Прошу сообщить о судьбе Миа Чунь Ли.

Жду дальнейших указаний.

"Племянник"».

ШИФРОГРАММА:

«Харбин. "Племяннику".

В прямой контакт ни с кем не вступать.

Готовить операцию по похищению полковника Киото Мавари и его переброске в Москву.

Подробный план проведения операции сообщить в Центр не позднее 15 июля 1945 года.

Дополнительные указания и сведения о вспомогательных средствах для проведения операции получите через тайниковую закладку с 4 по 6 июля 1945 года.

Информацию передать "Ахиллесу". В точности выполнять все его распоряжения и приказы.

Миа Чунь Ли в Москве. Переброска прошла успешно.

"Ахиллесу" и "Племяннику" – наилучшие пожелания.

Центр».

Глава 3

«ОБЛАКО 900». ГДЕ РАССТАВИТЬ КАПКАНЫ

Я никогда не смывал с себя столько грязи. Стоял под душем и драил себя жесткой мочалкой, сплетенной из сухих водорослей, чуть ли не сдирая живую кожу. Мыльная пена становилась черной, а тело приобретало необычайную легкость и эластичность.

¨лки-палки! Я же не мылся толком целый месяц! И лишь теперь, после выписки из госпиталя японской военной миссии, мне представилась такая возможность.

Киото поселил меня в двухэтажном кирпичном особняке, расположенном на закрытой и тщательно охраняемой территории учебного разведывательно-диверсионного лагеря секретного подразделения японской разведки «Облако 900», официально значащегося, как отряд № 377. С чего такая честь, пока оставалось неизвестным. По общей программе я должен был попасть в обычную солдатскую казарму.

Но вскоре я узнал, что полковник Киото Мавари отдал личное распоряжение инструкторскому и преподавательскому составу заниматься со мной по особой, отдельной программе.

Неподалеку от моего роскошного жилища располагались сборно-щитовые бараки, в которых размещались другие курсанты школы – и японские камикадзе, и будущие диверсанты из числа перебежчиков – как китайских и корейских, так и советских, дизертировавших из рядов Красной Армии.

Интерес вызывала мусульманская рота, в которой обучались бывшие советские граждане – узбеки, киргизы, туркмены, таджики и казахи. Еще были буряты, калмыки, представители кавказских республик. Уже из самого факта их нахождения здесь можно было сделать вывод, что амбиции японских милитаристов не ограничиваются захватом территории советского Дальнего Востока. Части и соединения Квантунской армии были плотно подтянуты к границе. Это означало только одно – война с Японией неизбежна. Вот только кто нанесет первый удар? Наши или самураи? Будет ли Сталин, как в сорок первом году, ждать нападения или опередит вероятного противника?

А что, если Япония нападет первой и сумеет развить стремительное наступление? Честно говоря, я очень сомневался в том, что Квантунская армия ограничится оккупацией Хабаровского края, Приморья, Сахалина и нашей части Курильских островов.

Разведка – это, прежде всего, глаза и уши. А потому, находясь в разведшколе «Облако 900», я старался из любой мелочи извлечь полезную оперативную информацию, чтобы при первой же возможности передать ее в Центр.

И такая возможность мне вскоре представилась.

...Выйдя из ванной комнаты и вытираясь большим махровым полотенцем, я увидал полковника Киото Мавари, преспокойно сидящего в гостиной особняка. Милое дело – он решил навестить меня уже в шесть часов утра.

– Здравствуйте, мой друг! – оскалился Киото Мавари в улыбке. – Вижу, вы совсем уже пришли в форму. И это меня радует.

– Здравствуйте, господин полковник, – ответил я тоном, дающим понять, что все прошлые обиды и терзания позабыты. Новая жизнь так новая жизнь. А о минувших неприятностях нужно забыть, так проще.

– Надеюсь, вы не держите на меня зла за причиненные страдания? – спросил все-таки Киото Мавари.

– Я не злопамятен, господин полковник, – сказал в ответ я. – К тому же в борьбе с моим природным упрямством вы вряд ли могли поступить иначе.

– Отдаю должное вашему благоразумию, господин Кегельбаум. И даже готов в знак примирения сделать вам небольшой сюрприз.

– Признаться, не люблю сюрпризов, – нахмурился я. – От них всегда веет авантюризмом и новыми жизненными проблемами.

– Не стоит драматизировать. К тому же ничего особенного я вам не предложу. Для начала вы переоденетесь в новую одежду, – он указал рукой на платяной шкаф. – А потом мы вместе поедем в гости к вашему брату. Сегодня завтракаем в его ресторане. Годится?

– Конечно, годится! – заулыбался я. – Я так по брату соскучился!

– Ну, вот и замечательно. К тому же у вас будет прекрасная возможность помириться и позабыть о ссоре.

Полковник даже предположить не мог, какой подарок он мне сейчас сделал. Покинув хотя бы ненадолго территорию разведшколы и тем более встретившись с Рийзманом, у меня появлялся шанс передать текст шифровки, которую необходимо было срочно отправить в Москву.

– Посмотрите, – сказал Киото. – Там, в шкафу, много одежды. Ее по моему приказу привезли специально для вас. Выберите себе что-нибудь.

Это было очень кстати. После скитаний по бедняцким кварталам, тюремной камеры и жестоких избиений, мое одеяние пришло в полную негодность. Здесь же, в шкафу, висели несколько новеньких костюмов различных цветов и фасонов, пара-тройка модных европейских шляп, сорочки, галстуки, ботинки и носовые платки с шелковыми носками – кажется, без счета. Да, круто взялся за меня этот полковник.

– А учеба? – спросил я.

– Что – учеба? – в тон переспросил Киото Мавари.

– Сегодня поедем к брату, а учиться когда начнем? Или вы меня сюда на отдых определили?

– Ваше рвение, мой друг, похвально. Занятия и тренировки начнутся уже завтра, с утра. И, поверьте мне, они будут столь интенсивны, что вы еще просить будете об отдыхе и пощаде. У нас с вами слишком мало времени. Всего три недели. И я даже сегодня не повез бы вас в Харбин на встречу с родственником, но уж очень хочется доказать вам свою искренность и лояльность.

Что все это значило? Либо Борис Рийзман уже арестован, и Киото Мавари намеревается ошарашить меня неожиданной очной ставкой, либо проверка по моей кандидатуре прошла успешно, и теперь полковник делает все возможное, чтобы я стал его убежденным сторонником – пытается сделать мне приятное, доказать, что и японская разведка бывает с человеческим лицом. А может быть, они схватили Колю Каблукова? Этот вариант тоже исключать было нельзя. Николай находился в Харбине на нелегальном положении и вполне мог где-то неосторожно засветиться. Что, если он действительно схвачен и не выдержал пыток?

Выбирая одежду, я старался упорядочить свои мысли и следил за тем, чтобы не тряслись от волнения руки. Успокаивал себя тем, что опытный чекист Рийзман уже двадцать пять лет работает в недрах «Токуму кикан» и уверенно держится на плаву. Без сомнения, его не раз подвергали всяческим проверкам и испытаниям, а «расколоть» так и не смогли. Если Киото Мавари все эти годы работал с Рийзманом, значит, доверяет ему. А я, по легенде, – двоюродный брат Рийзмана. Если японцы меня проверили и не нашли ничего подозрительного, они вполне могут привлечь Вениамина Кегельбаума для выполнения какого-то особого задания, отличного от банального диверсионного рейда в тыл СССР.

...– А теперь посмотрите на себя в зеркало! – восхищенно воскликнул Киото Мавари, когда я уже повязал на шее шелковый галстук и надел пиджак. – Вы – настоящий франт, господин Кегельбаум!

– Франту не хватает только освежиться одеколоном, – ответил я. – Подождите минуту, я сейчас вернусь. – И отправился в ванную комнату.

Одеколон на щеки – само собой. Но мне требовалось в считанные секунды проделать и другое: извлечь из тайника под умывальником крохотный листок бумаги и карандаш, чтобы дописать в подготовленную уже для Центра шифровку всего несколько цифр. Все. Дело сделано.

Спрятав зашифрованное сообщение в носок, я вернулся в гостиную, где меня по-прежнему ждал Киото Мавари.

– Я готов!

– Вот и прекрасно. Пойдемте, во дворе нас ждет машина, а дорога в Харбин займет не более трех часов. – Полковник поднялся с кресла.

Вместе мы вышли из дому.

Секретный лагерь отряда «Облако 900» находился в ста километрах от Харбина. Можно было преодолеть это расстояние и за полтора часа, если бы не пришлось постоянно притормаживать, пропуская многочисленные колонны танков и моторизованной пехоты, продвигающихся к границе. Без сомнения, японцы готовили наступление, которое должно было состояться в самое ближайшее время.

Я знал, что подписание в апреле 1941 года японо-советского пакта о нейтралитете накануне германской агрессии против СССР было продиктовано стремлением Токио выиграть время для выяснения перспектив германо-советской войны и принятия под прикрытием этого документа самостоятельного, независимого от Германии решения о первоначальном направлении японской агрессии – на Север или на Юг.

В «Секретном дневнике войны» японского генштаба 14 апреля 1941 года была сделана следующая запись: ***«Данный договор... лишь дает дополнительное время для принятия самостоятельного решения о начале войны против Советов».***

Теперь похоже было на то, что Япония готова к нападению на СССР. В Токио, в Генеральном штабе, надеялись, что обескровленная в борьбе с немецкими фашистами Красная Армия не в силах будет противостоять натиску Квантунских частей и соединений.

Еще в сорок первом году важнейшие сообщения были переданы из Токио нашим разведчиком Рихардом Зорге, который работал в столице Японии под прикрытием аккредитованного журналиста.

Летом 1941 года информация о намерениях Японии была жизненно важной для Кремля. Присоединение Японии к войне против СССР еще более усложнило бы военное положение Советского Союза, которое и без того было близким к критическому. Понимая это, Зорге приложил максимальные усилия для получения сведений о ближайших планах Токио.

3 июля 1941 года он сообщил в Центр:

«Япония вступит в войну против СССР не позднее чем через шесть недель.

Наступление японцев начнется на Владивосток, Хабаровск и Сахалин с высадкой десанта на советском побережье Приморья».

Это соответствовало разработанному японским генштабом плану войны против СССР – «Кантокуэн».

Зорге почти точно указал срок японского вероломного нападения. Как стало известно после войны, принятие решения о начале войны планировалось на 10 августа, а начало японского наступления – на 29 августа 1941 года.

К информации Зорге в Москве относились со всей серьезностью. При докладе его разведывательных донесений высшему советскому руководству стали появляться примечания о высокой степени их достоверности.

Так, на сообщении от 10 июля, в котором подтверждалась опасность японского нападения на СССР в августе, разведуправление Генштаба Красной Армии сделало следующее примечание: ***«Учитывая большие возможности источника и достоверность значительной части его предыдущих сообщений, данные сведения заслуживают доверия».***

11 августа, когда подготовка к нападению на СССР по плану «Кантокуэн» достигла апогея, Зорге предупреждал: ***«Прошу вас быть особо бдительными, потому что японцы начнут войну без каких-либо объявлений в период между первой и последней неделей августа».***

Сообщения об опасности японского удара с востока, безусловно, оказали большое влияние на решение Кремля в самый трудный и опасный период войны с Германией летом–осенью 1941 года проявить выдержку и не ослаблять значительно группировку советских войск на Дальнем Востоке и в Сибири.

Существуют все основания считать, что японское нападение на СССР в 1941 году не состоялось главным образом потому, что советские дальневосточные войска, вопреки ожиданиям японского командования, сохранили высокую боеспособность и были в состоянии дать отпор агрессору.

В настоящее же время, летом и осенью 1945 года, все могло обернуться совершенно иначе. Японцы были максимально готовы к нанесению мощного удара по советскому Дальнему Востоку.

ИСТОРИЧЕСКАЯ СПРАВКА:

Еще в октябре 1941 года японская контрразведка арестовала всех членов группы легендарного советского разведчика Рихарда Зорге, а затем и его самого. Прекрати-

лась деятельность одной из самых эффективных и стратегически важных советских разведывательных организаций в период Второй мировой войны.

Это не означало, что Москва лишилась информации о планах и намерениях Японии.

Не менее важные разведданные поступали из Китая, которые, кроме всего прочего, при принятии принципиальных стратегических решений использовались для перепроверки и подтверждения разведданных от группы Зорге.

В годы Второй мировой войны на территории Китая, в том числе и на оккупированной японцами, действовало 12 советских резидентур.

С сентября 1939 года обязанности посла и одновременно главного резидента СССР в Китае исполнял Панюшкин, координировавший деятельность советских разведчиков в этой стране.

Следует отметить, что кроме добывания разведывательной информации о намерениях Японии важной задачей советской разведки в Китае являлось удержание центральной китайской администрации на позициях активного сопротивления японским оккупантам.

В Москве отчетливо сознавали, что занятость Японии в военных действиях в Китае во многом удерживала японское командование от нападения на СССР.

При решении задачи по обеспечению продолжения китайского сопротивления японской армии советская разведка в Китае особое внимание уделяла проблеме недопущения перерастания противоречий между Гоминьданом и Коммунистической партией Китая в открытый конфликт и междоусобную борьбу.

Немаловажную роль сыграла советская разведка в Китае и в раскрытии планов Германии и Японии в отношении СССР.

Достаточно отметить, что в мае 1941 года советские разведчики в Китае информировали Москву о надвигавшемся нападении Германии на СССР, а в июне 1941 года от военного атташе Китая в Германии был получен оперативный план германского военного командования о главных направлениях продвижения германских войск.

Работая в оккупированных японскими войсками районах Китая (Шанхай, Харбин), советские разведчики регулярно информировали Москву обо всех передислокациях японских войск вблизи советских границ.

Весьма значимой была информация из Маньчжурии об относительной слабости технического оснащения Квантунской армии, недостаточном для наступательных операций количестве танков и самолетов. Поэтому, не подвергая сомнениям выдающиеся заслуги группы Зорге, вместе с тем следует по достоинству оценить и вклад других советских разведчиков в дело срыва японских планов нападения на СССР.

– Вы все время молчите, мой друг, – обратился ко мне полковник Киото Мавари, когда мы уже въезжали в Харбин на его автомобиле.

– Предвкушаю приятную встречу с братом, – ответил я.

На самом деле мысли мои были заняты другим. Я думал о том, что если в сорок первом Япония не могла себе позволить нападение на СССР, то сейчас, в сорок пятом году, удар по советской территории неизбежен.

...Часы показывали половину одиннадцатого утра, когда мы подъехали к ресторану Бориса Рийзмана.

Полковник Киото Мавари аккуратно припарковал автомобиль перед входом. Сегодня с нами не было ни его водителя, ни телохранителя. Значит, все-таки Киото Мавари достаточно доверял мне и Рийзману.

Уже входя в ресторан, я заметил краем глаза, как неподалеку, у ближайшего перекрестка, мелькнула фигура Николая Каблукова. Вот чертяка! Он, как всегда, был на боевом посту, только волосы перекрасил в черный цвет и на глаза надел солнцезащитные очки. И правильно. Ведь он уже «засветился» перед Киото Мавари, когда помогал Миа Чунь Ли бежать из Харбина. Кроме того, Каблуков поменял и одежду. Теперь на нем были широкие холщевые брюки, просторная рубаха, какие носили харбинские простолюдины, и стоптанные ботинки на босу ногу, как здесь было принято.

Мелькнув на перекрестке так, чтобы я его непременно заметил, Николай с видом обыкновенного бездельника прислонился спиной к стене дома и закурил. Потом вдруг переломил сигарету надвое и швырнул в урну.

Это был условный сигнал, безусловно, порадовавший меня. Сломанная сигарета означала, что слежки за мной нет и наблюдение за рестораном Рийзмана вообще снято.

Вот и чудненько. Вот и ладненько. Значит, мы верной дорогой идем, товарищи!

– Веня!!! – воскликнул Борис Рийзман, как только мы с полковником Киото Мавари оказались в обеденном зале. – Ну, наконец-то ты нашелся! Наконец-то ты вспомнил о своем бедном брате! Как я рад! Как я бесконечно рад, мой дорогой!

Старик даже прослезился, когда прижимал меня к своей груди. Ему бы в Москве в Большом Академическом театре главные роли играть!

Хотя и в Харбине он свою роль играл блестяще.

И объятия эти были весьма кстати, потому что позволили мне незаметно сунуть в карман пиджака Рийзмана туго свернутый маленький листок бумаги – шифровку для Центра, которую я еще на подъезде к ресторану вытащил из носка и все остальное время держал зажатой между указательным и средним пальцами правой руки.

– Господа! – полковник Киото Мавари поднял наполненный шампанским бокал, когда мы втроем расположились за столиком в отдельном кабинете. – Я предлагаю выпить за успешное начало нашего общего дела!

– Ты себе не представляешь, Веня, как я рад, что ты послушался мудрых советов господина полковника! – заговорил Рийзман, сделав небольшой глоток вина. – Догадываюсь, каких трудов стоило господину Киото убедить тебя в своей правоте...

– Не стоит преувеличивать, господин Рийзман, – тут же подал голос Киото Мавари. – Мы довольно быстро нашли с господином Кегельбаумом общий язык, не так ли? – Он мельком посмотрел в мою сторону.

– С каждым днем все больше и больше сожалею о своем упрямстве, – сдержанно улыбнулся я.

Наше застолье длилось не более часа. Потом Киото Мавари поднялся, утерев салфеткой губы.

– Нам пора, – изрек он.

– Но подождите! – проговорил Рийзман. – Смогу ли я видеть брата хотя бы раз в неделю?

– Думаю, это возможно, – благосклонно ответил полковник. – Если, конечно, наша совместная работа пойдет без особых осложнений.

– Благодарю Бога, – Рийзман даже взял Киото Мавари за руку, – за то, что мой брат после столь долгих скитаний попал в ваши надежные руки!

– Не стоит, – ответил ему Киото Мавари. – Господину Кегельбауму придется и самому немало потрудиться, чтобы достичь в нашей профессии вершин...

ШИФРОГРАММА:

«Москва. Центр.

"Ахиллес" приступил к интенсивному обучению в разведывательной школе отряда "Облако 900".

Главный куратор – полковник "Токуму кикан" Киото Мавари – ориентирует курсанта на работу в советском тылу.

Обучение проводится по специальной программе, отдельно от других групп, ориентированных на диверсионные террористические акты.

Особое внимание уделяется изучению внутренней и внешней политики СССР, прогнозированию ближайших и перспективных планов экономического развития Советского Союза.

С учетом того, что агент легендирован Центром как выпускник Константинопольской мореходной школы, руководством отряда "Облако 900" планируется его подготовка в роли специалиста по советским морским судам.

Из вышеизложенного можно сделать вывод, что "Ахиллеса" готовят к заброске в глубокий тыл СССР –

предположительно в один из портовых городов – для надежной легализации и последующего длительного использования в качестве разведчика в области советского судостроения или получения сведений о работе гражданского морского флота Союза ССР, независимо от исхода японо-советской военной кампании.

"Ахиллес" сообщает:

1. На территории Маньчжурии сосредоточены шесть полевых армий Квантунской группировки.

2. 3-я, 4-я, 5-я, 30-я, 34-я и 58-я армии дислоцированы вдоль китайско-советской границы и приведены в состояние повышенной боевой готовности.

3. Инженерно-саперными частями Квантунской армии на всей приграничной территории сооружены укрепрайоны и подготовлены артиллеристские позиции в железобетонных укрытиях.

4. Укрепрайоны рассчитаны на автономное существование в условиях ведения оборонительных действий сроком до полугода.

5. В разведывательных ротах отряда "Облако 900" проходят обучение бывшие представители республик Средней Азии и Закавказья, из чего следует предполагать, что японская агрессия может распространяться не только на Дальний Восток но и на южные районы Советского Союза.

6. На вещевые склады отряда "Облако 900" завезена большая партия комплектов военной формы действующей Красной Армии. По предположениям "Ахиллеса", готовится серьезная пограничная провокация.

"Племянник"».

* * *

– Вы делаете успехи, мой друг! – поощрительно сказал Киото Мавари, навестив меня в разведшколе через неделю.

– Стараюсь, господин полковник, – скромно ответил я.

– Старания всегда похвальны, – проговорил полковник. – Но расскажите мне, милый друг, откуда взялись ваши выдающиеся успехи в стрельбе и рукопашном бою? Инструкторы поражены вашей техникой.

Это была ловушка. Наверное, я все-таки перегнул палку, когда «ломал» на татами[1] моих инструкторов – японских самураев. К тому же в тире из огнестрельного оружия выбивал всегда наибольшее количество баллов. Такими результатами мало кто из курсантов мог похвастать. Вот я и похвастал. А Киото Мавари тут же насторожился.

– У меня создается впечатление, что вы где-то уже проходили курс специальной подготовки разведчика, – выдал мне полковник без обиняков.

И у меня внутри все похолодело. С невероятным трудом удалось взять себя в руки.

– Вы мне льстите, господин полковник, – проговорил я. – Стрелять меня еще с детства учили. Сначала покойный батюшка – еще в Одессе, забитой до отказа бандитами и налетчиками. А потом и незабвенный опекун – уже в Константинополе. В России до революции было принято, чтобы каждый юноша из благородной семьи умел от-

[1] Татами – сложенные вплотную прямоугольные циновки для борьбы дзюдо, каратэ-до, кун-фу и других видов восточных единоборств.

лично владеть стрелковым оружием и шпагой. Дуэли, знаете ли – старая русская игра, в которой победившему достается жизнь, а проигравшему – деревянный крест над могильным холмом. Что же касается драки... или рукопашного боя, как вы только что сказали, то какой же портовый докер не умеет драться?! В Константинополе и дня без поножовщины или зуботычин не проходило!

Киото Мавари долго молчал, обдумывая мои слова. Но потом решил сделать свой вывод:

– Вы, господин Кегельбаум, невероятно талантливы.

ШИФРОГРАММА:

«Москва. Центр.

Отрядом "Облако 900" готовится разведывательно-диверсионная группа в составе двенадцати человек для переброски в Хабаровск под видом полувзвода бойцов тылового подразделения Красной Армии.

Документы составлены в соответствии с образцами продовольственно-хозяйственных частей армии маршала Василевского. Официальная версия: заготовка продовольствия для ударных сил Красной Армии, дислоцированных на китайско-советской границе.

Красноармейские книжки на:

1. Старшего лейтенанта Григорьева Анатолия Кузьмича;

2. старшину Забродского Ефима Панкратовича;

3. красноармейца Потехина Евгения Ильича;

4. красноармейца Говорова Игоря Петровича;

5. красноармейца Чехова Даниила Карповича;

6. красноармейца Кадышева Федора Михайловича;

7. красноармейца Гопонюка Ивана Степановича;

8. красноармейца Жилина Василия Павловича;

9. красноармейца Гаиббердыева Сулеймана Гаиббердыевича;

10. красноармейца Сверхладзе Отари Зурабовича;

11. красноармейца Ибрагимбекова Салихана Махмудовича;

12. красноармейца Иванянц Гарика Давидовича.

Командир группы – Григорьев (настоящее имя неизвестно).

Связист – Потехин (настоящее имя неизвестно).

Фельдшер – Говоров (настоящее имя неизвестно).

Чехов, Кадышев и Жилин – коренные жители Хабаровского края, хорошо знакомые с местными условиями, географией района.

Основная цель группы – диверсии на трассе Дальневосточной железной дороги.

Особо интересующие направления – железнодорожная ветка Известковая – Чегдомын, а также Дуссе-Алиньский тоннель и приостановленное на время войны строительство Байкало-Амурской железнодорожной магистрали.

Сроки заброски группы Григорьева – 16–20 июня 1945 года.

Необходимо принять срочные меры по обнаружению и ликвидации диверсантов.

"Ахиллес"».

* * *

– Я не верю в его исключительные способности! – выговаривал полковник Киото Мавари своему помощнику капитану Фудзинаи. – Тому, что умеет этот русский еврей, нужно учиться годами! А то очень просто все получается: портовые драки, покойный батюшка, научивший его стрелять получше любого японского снайпера... Глупости все это. Кегельбаум – разведчик. Разведчик от Бога. И, не исключено, что заброшен к нам с далеко идущими целями.

– В ваших словах, извините, конечно, господин полковник, много эмоций и мало логики, – дерзнул возразить капитан.

Дерзость его была хорошо рассчитана. Ведь именно ему полковник поручал провести проверку Кегельбаума в Константинополе и России. Выходило, что с поставленной задачей Фудзинаи не справился, коль не сумел обнаружить на заброшенного разведчика весомый компромат? Но в свою оперативную беспомощность капитан Фудзинаи верить не хотел. Он тщательно отработал материал, изучил биографию Вениамина Кегельбаума до мелочей. И ничего подозрительного в этой биографии не заметил.

Наверное, полковник Киото Мавари стал слишком подозрительным. Такое случается с разведчиками от высочайшего перенапряжения и накопившейся усталости.

– Вы рискуете, капитан Фудзинаи, обвиняя меня в отсутствии логики, – жестко проговорил Киото Мавари.

– Я полностью отдаю отчет своим словам и поступкам, господин полковник.

Капитан явно зарывался, его отец был членом японского правительства в Токио и занимал там высокий пост советника Императора Хирохито. Ссориться с наглецом было невыгодно.

К тому же Киото Мавари не мог упрекнуть своего подчиненного в легкомыслии и формализме. Капитан служил под началом Киото Мавари уже пять лет и не раз доказывал свою высочайшую компетентность и преданность делу.

Другой вопрос, что в японскую военную миссию в Харбине он попал не случайно, а по протекции своего могущественного отца. Где еще можно сделать блестящую военную карьеру, как не на передовых рубежах борьбы с большевиками? Без сомнения, как только японские солдаты десантом высадятся на советской территории, папенькиного сынка немедленно переведут из Харбина в Токио, в Генеральный штаб – подальше от рвущихся снарядов и поближе к министерским портфелям. Припишут ему невероятные военные заслуги, повысят в звании и должности, громогласно назовут героем войны. Кто его знает, как жизнь может повернуться. Во всяком случае, не нужно сейчас дергать этого мальчишку за гениталии. Он может пригодиться тогда, когда самому Киото Мавари надоест беспокойная прифронтовая жизнь и захочется вернуться к семье в Токио. Неплохо бы при этом иметь достойную службу поближе к императорским покоям.

– Возможно, вы правы, капитан, – утихомирившись, проговорил Киото Мавари. – Но достаточно ли хорошо вы проверили этого Кегельбаума?

– Смею вас заверить, господин полковник, у меня большие возможности и в Турции, и в России. Вы не забыли, что я в свое время учился с лучшими офицерами нашей разведки, да и сам работал и в Хабаровске, и в Москве? Мы проверили все, что касается семьи Кегельбаума. Никаких зацепок не обнаружено. К тому же вы, насколько мне известно, в приятельских отношениях с его братом –

господином Рийзманом. Или этот старый ресторатор тоже вызывает у вас подозрения на протяжении всех двадцати пяти лет вашей с ним дружбы?

– Рийзман – майор «Токуму кикан». Он достаточно долго и успешно работает на нашу разведку. И Кегельбаум, без сомнений, является его братом.

– В таком случае, вы сами же себе противоречите.

– Ничего я не противоречу, – возразил полковник. – Господин Рийзман видел своего младшего брата еще ребенком. За годы, пока они не общались, многое могло произойти. И еще, капитан. – Лицо полковника стало хмурым. – У нас с вами большие неприятности. В тайге под Хабаровском полностью уничтожена наша диверсионная группа, заброшенная на парашютах. Их расстреляли еще в воздухе. Истребительный отряд русской военной контрразведки «Смерш» открыл автоматный огонь с земли, с заранее занятых позиций. Вам это о чем-нибудь говорит?

– В отряде «Облако 900» шпион? – Узкие глаза капитана Фудзинаи невероятно расширились.

– Вот именно, – кивнул полковник. – Но кто этот шпион? В том, что он работает непосредственно в отряде, сомнений нет. Иначе откуда могла произойти утечка секретной информации о заброске нашей группы?

– Этим шпионом мог бы, конечно, оказаться Кегельбаум, – заговорил капитан. – Но он слишком мало времени находится в лагере, чтобы добыть такую информацию. Его занятия достаточно насыщенны и проходят с раннего утра до поздней ночи каждый день. У него нет ни минуты, чтобы даже осмотреться по сторонам.

– Да поймите же вы, наконец, он – талантлив! В нем есть что-то такое, чего я не замечал ни в одном из курсантов, которых мы готовим для проведения террористических актов на территории Советов. Он особенный. Он очень умен.

– Переключитесь, господин полковник, – высказался капитан. – Акцентируя все свое внимание на Кегельбауме, вы «замыливаете» свой взгляд и, возможно, упускаете нечто более важное.

– И все равно я подумаю, где расставить капканы на этого Кегельбаума...

* * *

Помощник полковника Киото Мавари капитан Фудзинаи разбудил меня в два часа ночи.

– Поднимайтесь, господин Кегельбаум, – сказал он. – Нас ждут дела.

Не говоря ни слова, я встал с постели и принялся натягивать бриджи, в которых постоянно занимался в лагере.

– Нет, – произнес Фудзинаи. – Вот ваше обмундирование. – Он указал на вещи, сложенные аккуратно на столе.

Это была форма командира Красной Армии. Гимнастерка с погонами капитана-танкиста, галифе, хромовые сапоги, фуражка с черным танкистским околышем и красной звездой. Здесь же лежала полевая офицерская сумка и вещмешок.

– В вещмешке, – пояснил Фудзинаи, – офицерский сухой паек на три дня, смена нижнего белья и портянки. В сумке – карта Хабаровского края.

– Карта?! – переспросил я, обалдев от такой неожиданности.

– Карта, – спокойно кивнул капитан. – Сейчас мы с вами поедем на аэродром. Оттуда на самолете вы вылетаете для выполнения боевого задания на территории СССР. Ваш оперативный псевдоним – «Докер». Задача – в одиночку десантироваться на парашюте в районе поселка Тырма Хабаровского края. Вы приземлитесь в пятидесяти километрах от поселения русских староверов. Замаскируете в тайге парашют и пешком выйдете к Тырме. Там найдете дом на окраине поселка, стоящий рядом с пунктом приема пушнины. Хозяина дома зовут Феоктист Милеевич Рыбин. Он наш агент. От него получите все дальнейшие распоряжения. Больше ничего вам сказать не могу.

А больше ничего и не нужно было. Я понял: все мои планы летят псу под хвост.

Полковник Киото Мавари решил забросить меня в советский тыл, а это означало, что назад я вряд ли вернусь, а уж о том, чтобы выполнить до конца приказ московского Центра, и речи идти не могло.

Такого поворота событий я, признаться, не ожидал.

Но возражать капитану Фудзинаи было бессмысленно. И я решил покориться судьбе. Пусть все идет так, как идет. Интересно было другое – кто он такой, этот Феоктист Милеевич Рыбин, обосновавшийся в древней дальневосточной деревушке и работающий на японскую разведку?

...Спустя час я уже сидел на борту самолета военно-транспортной авиации японских ВВС с парашютом за плечами, пистолетом ТТ в кобуре на портупее и автоматом ППД, прилаженным на груди под сумкой запасного парашюта.

Перед загрузкой на борт меня напутствовал сам полковник Киото Мавари, приехавший по такому случаю на аэродром из Харбина:

– Господин Кегельбаум, я верю в вас и надеюсь, что после выполнения этого задания вы благополучно вернетесь назад.

Хотел я его послать на хер, да передумал: не поймет японская рожа моих истинно русских чувств и эмоций. Вот скотина какая! Взял да и сорвал в одну ночь все мои грандиозные планы!

Ну, ничего, помирать, так с музыкой. Там, в Хабаровском крае, я хоть этого гада Рыбина за жабры сумею взять. На допросах лично «колоть» буду. Глядишь, еще чего полезного для родины своей накопаю...

Эх, вот взял бы сейчас, да и задушил голыми руками и Киото Мавари, и его помощника – капитана Фудзинаи.

...Самолет загудел моторами и через несколько минут взмыл в черное маньчжурское небо. Аминь.

* * *

...Приземляться на лес не так уж и сложно, если умеючи.

Нужно всего-навсего скрестить перед лицом руки, чтобы ветками морду лица не поцарапало или глаза не выбило, а ноги, выпрямленные в коленях, поднять вперед под углом 90 градусов – это чтоб животом на корягу не напороться. Делов-то!

Приземление упрощалось еще и тем, что пока меня к квадрату десантирования самолетом доставляли, в небе начал заниматься рассвет. Верхушки деревьев были видны как на ладони, и я, чуть подтянув передние группы строп, быстрее обычного заскользил в воздухе вперед, чтобы шарахнуться не на сучковатые сосны, растущие прямо подо мной, а в сравнительно мягкий ельник.

Приземлился как на перину. И купол парашюта в ветвях не застрял, и длинные стропы не запутались. А ноги приятно спружинили в древний плотный мох. Видать, с любовью приняла меня родная русская землица. Так и должно быть. Ну, здравствуй, Россия-матушка!

Мне бы теперь только на своих раньше времени не нарваться. Я хорошо знал, как работают «смершевские» истребительные отряды, всюду вылавливающие вражеских диверсантов-разведчиков. Вот так нарвешься на них в лесу с парашютом за плечами и – считай, приехали. Объяснить ничего не успеешь, даже не гавкнешь. Расстреляют без разговоров или при задержании башку отобьют на хрен и дураком на всю жизнь сделают.

Я не раз видел, в каком состоянии доставляются на допрос диверсанты, задержанные истребителями или «волкодавами» контрразведки «Смерш». Зачастую их допрашивать бывает уже бесполезно. Мычат только да глазами безумными из стороны в сторону вращают. Им после таких задержаний не на следствие, а прямым ходом в психушку надо. А чаще всего обнаруженных парашютистов попросту убивают на месте приземления.

...Осмотревшись на местности, я принялся ножом вырезать во мху полость, чтобы замаскировать парашют.

Вокруг было тихо и на первый взгляд безмятежно. Даже лесные птицы в этот ранний рассветный час еще не чирикали, не пиликали. Вообще, странный какой-то лес, будто бы вымерший.

Дело было сделано – купол и десантный шлем, в котором я прыгал с самолета, хорошо замаскированы. Я достал из вещмешка офицерскую фуражку, надел ее на голову...

– Стоять на месте!!! – взорвался вдруг в полной тишине могучий голос. – Руки вверх, сука!!! И не двигайся!!!

От неожиданности я сделал то, что на моем месте сделал бы любой диверсант, только что приземлившийся на враждебной территории. С молниеносной скоростью передернув затвор автомата, я оттолкнулся ногами от пружинистого мха и совершил длинный кувырок в сторону, за ближайший куст, откуда можно было вести огонь, используя пышное растение как укрытие.

Зачем?! Зачем, черт возьми?! Это же свои кричали!!! Остался бы, как приказывали, на месте, возможно, не было бы никаких проблем. А теперь... Теперь в мою сторону начали бить из автоматов. Стало понятно – я окружен истребителями-«смершевцами». Звиздец котенку – больше срать не будет. В такой оглушительной стрельбе до наших ребят было даже не докричаться. Но и отвечать огнем я не стал – не убивать же своих!

Прижавшись всем телом к земле, я в первые секунды лежал без малейшего движения. А они все стреляли и стреляли. Но что-то в этой стрельбе было не так.

Во-первых, лупили в меня всего четыре автомата. Истребительные отряды в таком малом составе по лесам не шастают.

А во-вторых, стреляли не на поражение. Пули свистели высоко над головой, с треском сшибая тонкие ветки и впиваясь в стволы деревьев.

Выходило, что убивать меня на месте не собирались? Уже легче. Пусть возьмут в плен, а там разберемся. Лишь бы не покалечили при задержании. В конце концов, я сумею объяснить парням, кто я такой и откуда здесь появился. Только бы дураком полным не сделали, пока доставят в особый отдел армии или дислоцированной в этом районе дивизии.

Справа продолжали бить длинные автоматные очереди, а слева ко мне стали ползком подбираться двое бойцов Красной Армии. Я, заметив их вовремя, уже различал погоны и звезды на пилотках. Все ясно: эти двое, пока автоматчики прижимают меня к земле, решили взять диверсанта живьем...

Мать твою за ногу!!! Мне пришлось даже протереть глаза, чтобы убедиться: не почудилось ли. Я узнал и одного, и второго из тех, что ползли ко мне! Да, не может быть никаких сомнений – эти наглые рожи встречались мне в лагере отряда «Облако 900»! Точнее говоря, из окна на втором этаже своего особняка я видел, как эти двое маршировали в строю возле своей казармы, расположенной неподалеку. Почему я тогда обратил именно на них внимание? Все очень просто. Один, идущий впереди, сбился с ритма и не попадал в строевой шаг. Второй же дал ему со злостью пинка. И между ними завязалась небольшая потасовка. Я еще посмеялся тогда над горе-строевиками, ну и лица их как-то само собой остались в памяти.

Вот теперь все встало на свои места.

Ни в каком я не в Хабаровском крае приземлился. Скорее всего, нахожусь все в той же Маньчжурии, возможно совсем недалеко от Харбина. А эти сраные автоматчики-истребители – никакие не «смершевцы». Отрепье из разведывательно-диверсионного лагеря, посланное в этот лес полковником Киото Мавари, чтобы проверить меня на вшивость.

Ну и дела! А если б я с ходу начал кричать что-то типа: «Братки! Товарищи! Не стреляйте! Я свой!»? Вот тогда бы они меня и прикончили. Или, скорее всего, перебили бы мне автоматными очередями ноги и доставили пред узкие очи полковника Киото Мавари.

Ну, гады, вы мне за этот спектакль ответите!

Сделав вид, что не замечаю приближающихся ко мне уродов, я хорошенько прицелился и дал короткую очередь по одному из тех, кто якобы стрелял в меня. Красавчик умолк навеки с пробитым пулями черепом. Но другой продолжал стрелять – так же, как ему было приказано, высоко над моей головой. Ну и хрен с ним, пусть патроны тратит.

Не поднимаясь с земли, я достал из ножен нож, когда двое, готовые к задержанию, были совсем рядом, и, почти не примеряясь, метнул его в ближайшего. Клинок точно вошел ему в глаз. Бедолага отвалился на спину, а душа его, скорее всего, взмахнув грязными крыльями, улетела в ад.

Не дожидаясь, когда второй кинется на меня, я сам перекатился по земле и оказался рядом с ним. Широко раскрыв рот, он хотел что-то мне сказать, видимо, при таком жестком раскладе разъяснить недоразумения. Но не хотел я ждать от него никаких поганых слов. В сотые доли секунды рванул его обеими руками за бестолковую голову и свернул ее напрочь до характерного звонкого хруста в шейных позвонках.

Таким образом, в живых еще оставался один автоматчик, который, прекратив стрельбу... кинулся бежать. Милый ты мой! От полковника Журбина еще никто так просто не уходил.

– Стой, большевистская сволочь!!! – заорал я с таким расчетом, чтобы не только он смог услышать меня, но и те люди, что наблюдали за всей этой плохо срежиссированной заварушкой из подготовленных заранее укрытий. – Убью, гнида красножопая!!! – продолжал я орать, уже нагоняя убегающего подонка.

Он бежал без оглядки, даже не пытаясь отстреливаться. Животный неуправляемый страх, похоже, переклинил ему мозги.

А я догонял. И догнал очень скоро. А, догнав, сделал подножку. Негодяй полетел на землю кубарем. Я же навалился сверху и выхватил из-за голенища сапога второй нож, какой любой разведчик носит с собой – на всякий случай.

– Не надо!!! – захрипел тот. – Не убивай!!! Я – свой!!!

– Сука ты продажная, а не свой... – прошипел я ему в лицо и полоснул по горлу боевой стороной лезвия.

Тут же поднявшись, вскинул автомат и дал длинную очередь вокруг себя.

– Докер!!! – прогремело в громкоговоритель. – Остановись!!! Прекрати стрельбу!!! Я – полковник Киото Мавари!!!

Сучий потрох, я так и думал. Проверку мне решил устроить, рожа самурайская.

Бросив автомат, я опустился на землю.

Метрах в десяти от меня буквально разверзлась лесная почва, обнажив довольно широкий лаз, ведущий куда-то в подземелье. Из этого замаскированного лаза с улыбками на шакальих мордах появились полковник Киото Мавари и капитан Фудзинаи.

– Браво, Докер! – Киото Мавари даже захлопал в ладоши. – Вы – настоящий воин!!! Уничтожив этих красных, – он с пренебрежением посмотрел на валяющиеся вокруг трупы, – вы доказали нам свою преданность.

– А вы – мерзавец, полковник, – ответил я ему с нескрываемой ненавистью.

– Ну, ничего, ничего! – продолжал Киото улыбаться, приближаясь ко мне. – Сегодня вам дозволено называть меня любыми словами. Пойдемте, господин Кегельбаум, за лесом нас ждет машина, на которой мы вернемся в Харбин. Тут езды-то всего двадцать километров!

Таким вот образом не удалось японской разведке «расколоть» меня как шпиона.

Зато сам я всерьез начал задумываться над тем, как заманить полковника Киото Мавари в капкан. Пора было заканчивать свою миссию в Харбине.

* * *

1945 год, июнь. Москва. Лубянка.

Полковник Ватрушев был вновь вызван к генералу Платонову с докладом о работе харбинской резидентуры и лично агента, значащегося под псевдонимом Ахиллес.

– Проходи, товарищ Ватрушев, присаживайся, – с довольным видом пророкотал генерал, открывая дверцу серванта. – Сегодня мы с тобой не чаю с лимончиком – коньячку выпьем. Как считаешь?

– Думаю, повод для этого есть, – улыбнулся полковник Ватрушев, принимая от генерала наполненную ароматной янтарной жидкостью хрустальную рюмочку. – Ахиллес в Харбине выдержал все проверки. Кроме того, нам стало известно, в каком порядке и на каких рубежах сосредоточились главные силы Квантунской армии, подготовленные для нападения на Советский Союз.

– Да, – добавил генерал, – фронтовая разведка армии маршала Василевского перепроверила данные, переданные Ахиллесом. Все совпадает в точности. Теперь мы знаем даже количество крупнокалиберных дальнобойных артиллерийских орудий, находящихся в укрепленных районах японцев.

– Тут мы советовались с товарищами из службы генерала Судоплатова, – произнес Ватрушев. – Есть мнение: заслать на японские позиции группу наших подрывников из отдельной мотострелковой бригады особого назначения и взорвать эти укрепления к едрене фене! Вы представляете, товарищ генерал, какого шороху мы там наведем?

– Идея хорошая, но требует тщательной проработки. Я договорюсь о встрече с самим товарищем Судоплатовым, а затем при участии руководителей оперативных подразделений разработаем подробный план диверсионных мероприятий на передовых рубежах противника. Надо будет, чтобы этот план предварительно изучил генерал-лейтенант Абакумов. А уже он покажет наши задумки товарищу Берии.

– А может, решим все в рабочем порядке? – спросил Ватрушев. – А то, пока будем все утверждать да согласовывать, много воды утечет...

– Нет, без согласования в этом вопросе никак нельзя. И особенно сейчас, когда на Дальнем Востоке под командованием маршала Василевского собраны наши лучшие силы. Представь себе ситуацию: мы предпринимаем попытку диверсии, она не удается, японцы, в свою очередь, раньше времени рвутся в наступление и... срывается наша собственная ударная операция. Мы ставим под угрозу поражения всю группировку Василевского. Это тебе не шашкой махать, сидя верхом на горячем коне. Ты, кажется, в Гражданскую войну в кавалерии служил?

– Так точно, командовал эскадроном.

– Вот и забудь о своем лихом командовании. В разведке прежде всего думать нужно, а потом уже рубить направо и налево. Расскажи лучше, что еще передает Ахиллес?

– Полковник Киото Мавари устроил ему театрализованное представление с боевой стрельбой.

– Говори конкретнее.

– Подняли по ночной тревоге, посадили без предупреждения в самолет и десантировали с парашютом якобы в Хабаровском крае...

– Ну, дальше понятно, – хмыкнул генерал. – Подставил ему несколько остолопов из своей же разведшколы, потенциально не готовых к серьезной работе в нашем тылу и списанных в расход. А Журбин их всех перестрелял к чертям свинячьим, прикинувшись валенком, да?

– Так точно.

– Эти фокусы еще руководители Абвера придумали, проверяя таким образом благонадежность и стойкость своих агентов. Так что японцы ничего нового не изобрели. Хотя, должен признаться, Ахиллес молодчина. Мог ведь запросто «провалиться» на этой халтуре... – Генерал ненадолго замолчал, хлопнув рюмашку коньяку и с удовольствием закурив.

Полковник последовал его примеру.

– Из Харбина получен план по похищению полковника Киото Мавари?

– Так точно, товарищ генерал. Я как раз сегодня собирался вам его доложить.

– Ну так докладывай, не тяни!

– В настоящее время Ахиллес находится в отпуске. Это после проверки с десантированием. У него есть неделя, чтобы подготовиться. Вот детали. – Ватрушев достал из тонкой дерматиновой папки несколько страниц текста, напечатанного на пишущей машинке.

Генерал Платонов принялся изучать материалы будущей операции, осуществить которую в Харбине должен был полковник контрразведки «Смерш» Иван Степанович Журбин.

Ватрушев не мешал ему, не встревал с пояснениями и дополнениями. Молча стоял у окна и курил до тех пор, пока генерал сам не подал голос:

– Все хорошо в этом плане. Но уж больно рискованно. Где гарантия, что Ахиллес не находится до сих пор «под колпаком» у разведки «Токуму кикан»? Для того чтобы этот план осуществить, нужно войти к полковнику Киото Мавари в полное доверие. Если же хоть одно звено из этой цепочки тщательно подготовленных случайностей оборвется, пропадут и сам Ахиллес, и Племянник, его прикрывающий, и даже Рийзман, за голову которого я готов своей собственной головой пожертвовать. Ты понимаешь, о чем я говорю, друг ты мой Ватрушев?

– Дело в том, что план этой операции придуман Ахиллесом не в одиночку. Он несколько раз перерабатывался и дополнялся самим Рийзманом. На всякий случай и подготовлены пути отхода Рийзмана из Харбина. Но это – повторюсь – на всякий случай, чтобы сохранить ему жизнь. В штатной же ситуации мы надеемся обеспечить старику алиби и удержать его в Харбине для дальнейшей работы.

– Ох, смотри, Ватрушев! – пригрозил генерал. – Провалится вся наша харбинская агентура, если в этом деле будет допущена хотя бы малейшая ошибка. Сам-то готов рисковать? – посмотрел на полковника искоса, наливая одновременно еще по порции коньяка.

– Готов, товарищ генерал, – ровно ответил полковник.

– Ну, тогда давай выпьем и за твой успех. – Они звонко чокнулись рюмашками. – Собирайся в дальнюю дорогу, как только получишь от Ахиллеса сигнал о начале операции.

– Есть, товарищ генерал! Будет сделано.

...Ни Журбин в Харбине, ни его командование в Москве в тот день еще не знали, что операцию по похищению и переправке в СССР полковника японской разведки Кито Мавари придется на некоторое время отложить.

Обстоятельства складывались таким образом, что Ахиллес не мог позволить себе покинуть Маньчжурию, не сделав еще одного очень важного дела, на которое вышел совершенно случайно. Случайность, к слову сказать, вечная спутница разведки. Но именно случайность порой решает судьбы тысяч и миллионов людей, живущих на нашей земле.

Часть вторая

КАМИКАДЗЕ

Глава 4

«ОТРЯД 731». ТАРАКАНЬИ БЕГА

Итак, после проверки в лесу мне был предоставлен недельный отпуск. В течение семи дней я мог отдыхать, валяясь на диване, мог разгуливать по городу и точно знать, что никакой слежки за мной нет, мог вечерами просиживать в лучших ресторанах, в общем, мог делать все, что только заблагорассудится. С одним лишь условием – ни при каких обстоятельствах не покидать Харбин.

Обо всем этом мною было доложено в Москву, когда обозначились примерные сроки проведения операции по похищению полковника Киото Мавари. Я рассчитывал дерзнуть на это дело в ближайшие десять дней после окончания моего отпуска.

В один из вечеров дверь особняка, в котором я проживал до сих пор, как бы сама собой отворилась.

Я в это время, укутанный в просторный, разрисованный изображениями сказочного дракона, шелковый халат-кимоно, сидел в нижнем холле у камина и, покуривая замечательные кубинские сигары, пил крепкий и сладкий гавайский ром. Приняв перед этим теплый душ, я чувствовал себя наверху блаженства. В голове приятно шумели океанские волны – от выпитого спиртного. В руках и ногах пульсировало тепло...

На открывшуюся дверь отреагировал спокойно. Территория секретной базы отряда «Облако 900» хорошо охранялась, и извне сюда ни одна живая душа проникнуть не могла. Значит, либо дверь отворило сквозняком, либо...

Додумать, что означает второе мое «либо», я не успел.

На пороге одна за другой стали появляться девушки в прозрачных шелковых одеяниях, под которыми я, как ни старался, не заметил даже намеков на нижнее белье.

Неизвестно откуда зазвучала тихая китайская мелодия, располагающая к расслаблению и высшему внутреннему блаженству.

Первая же из вошедших див несла в руках большой медный кувшин, из жерла которого поднимались клубы голубоватого ароматного дыма или пара, наполняющего комнату, придающего начавшемуся завораживающему действию оттенок таинственности и романтичности. Кувшин был поставлен прямо посреди холла.

Все остальные – а я их насчитал в общей сложности двенадцать – держали в руках зажженные свечи величиной с бейсбольную биту. Свечи расставили вдоль стен и плотно задернули шторы на всех окнах.

А затем я увидел и музыкантов. Четверо китайцев, одетых в красочные национальные костюмы, вошли в помещение вслед за девушками и расположились в дальнем углу комнаты, под лестницей, ведущей на второй этаж, вероятно, чтобы не привлекать к себе внимание. Действительно, в густой тени от лестничного марша их совсем не было видно. Лишь слышалась мягкая обволакивающая музыка, воспроизводимая диковинными китайскими народными инструментами.

Эта мелодия словно лилась с небес и нисходила к людям невесомым шелковым балдахином, накрывая все сверху и не то убаюкивая, не то лелея самые тонкие струны человеческой души, пробуждая в ней ощущение неземного счастья и упоения жизнью, дарованной Богом.

Я по-прежнему сидел завороженный в кресле-качалке, с давно потухшей сигарой, зажатой между пальцами, и недопитым бокалом густого золотистого рома, отдающего ароматами тропиков.

Двигаясь по комнате в плавном танце, перемещаясь таким образом, чтобы окружить меня со всех сторон, девушки медленно начали раздеваться. Нет, они не снимали с себя одежду. Тонкие радужные материи как будто сами по себе стекали легкими волнами, беззастенчиво обнажая изящные плечи, тонкие руки, хрупкие миниатюрные формы груди, талий и бедер...

При этом танцовщицы все ближе и ближе подходили ко мне, настойчиво искушая и побуждая к действиям.

Одна из них – та, что вошла первой, с кувшином – осталась посреди комнаты.

Опустившись на циновку, по дальневосточному обыкновению заменяющую ковер или палас, она сначала села на шпагат, а затем обе ноги с необычайной легкостью завела за голову, умудрившись просунуть под своими же коленками обе руки. Потом, перевернувшись на живот, встала на руки, не меняя положения хитросплетенных ног.

В следующее мгновение она распрямилась и, оставаясь лежать на животе, буквально сложилась вдвое, коснувшись розовыми пятками циновки возле своей головы, и вновь развела ноги, отчего в глазах у меня все окончательно помутилось.

А может быть, помутнение произошло от ароматного дыма, внесенного этой девушкой в кувшине? Так или иначе, я совершенно не понимал, что со мною происходит.

Пока эта нечеловечески гибкая бестия исполняла танец змеи – так это называется на Востоке – остальные девушки натурально облепили меня со всех сторон, касаясь кто грудью, кто бедром, кто рукой или губами. Я и глазом не успел моргнуть, как оказался без халата-кимоно, то есть абсолютно голым. Как оставил кресло-качалку и очутился рядом с женщиной-змеей, убейте меня, до сих пор не пойму. В тот вечер мне казалось, что я не в силах управлять ни своими эмоциями, ни своим телом.

В темноте холла, разверзаемой лишь тусклыми бликами зажженных свечей, мне всюду виделись цветущие вишневые сады, окутанные белоснежными облаками и... змеи-драконы, нависающие над головой и извергающие огненные всполохи.

...Музыканты продолжали играть. Но мелодия постепенно переставала быть мягкой и плавной, становясь более динамичной, громкой и сочной, что ли.

Одиннадцать танцовщиц продолжали исполнять свой обвораживающий танец, необратимо возбуждая меня прикосновениями и ласками, одновременно вытаскивая меня в центр комнаты, туда, где извивалась в страсти женщина-змея.

Попав в ее объятия, я успел лишь заметить, что остальные девушки тут же отступили и танцевали теперь у стен, не смея мешать женщине-змее расправляться со мной – расслабленным окончательно и бесконечно беззащитным.

Огромные свечи горели теперь ярче, время от времени просто ослепительно вспыхивая и рассыпая вокруг серебряные искры.

Танец стал бешеным, безудержным, мистическим, разжигаемым еще больше усиливающимися ритмами музыки.

Женщина-змея владела мною всецело – порывисто, уверенно и жадно. Оплетая меня своим гибким телом, она не давала даже сотой доли секунды на размышление, раз за разом опустошая меня до последней капельки и вновь, почти без перерыва, возбуждая до умопомрачения. Плоть ее поглощала меня, казалось, с головой, а цепкие пальцы готовы были вынуть из груди мое сердце, чтобы... нежно поцеловать его. Или ужалить, убив смертоносным ядом?!

...– А-а-а!!! – закричал я и открыл глаза, моментально вскочив с жесткой холодной циновки.

Мне что, все это приснилось?!

Но – нет. Я лежал, обнаженный, посреди холла. Рядом стоял медный кувшин, уже не дымящийся. Свечи, расставленные вдоль стен, были потушены. Рядом валялось мое кимоно. А за окном светило солнце. Наступило утро.

– Вижу, вы провели сказочную ночь, господин Кегельбаум, – услышал я бодрый голос полковника Киото Мавари.

Протерев глаза, я действительно увидел полковника, стоящего на пороге и улыбающегося своей хищной отвратительной улыбкой.

– Что это было... вчера? – спросил я хриплым голосом, все еще сомневаясь в реальности происшедшего накануне. – Это кошмар какой-то...

– Неужели? – удивился Киото Мавари. – А мне показалось, что вам пришелся по душе мой скромный подарок.

– Значит, это вы, полковник, все это устроили...

– Да, я. И для вашей же пользы. Поверьте, ничто так не снимает напряжение и не возрождает жизненные силы, как женское живое тепло, многократно помноженное на восточное искусство плотской любви.

– Верю, – усмехнулся я, и в самом деле чувствуя, что тело мое приобрело необычайную свежесть и легкость. Я как будто заново родился.

– Что ж, отдохнули и, как говорят русские, пора и честь знать, – перешел Киото Мавари на деловой тон. – Спешу вам заметить, что уже сегодня ваш отпуск закончился.

Накинув кимоно, чтобы не светить перед этим желтомордым козлом голой задницей, я подошел к камину, где стояла недопитая бутылка рома, и сделал большой глоток прямо из горлышка, одновременно посмотрев в сторону полковника.

– Пейте-пейте! – хохотнул он. – После такой динамической разгрузки, которую вы получили сегодня ночью, глоток хорошего рома вам не повредит.

– Что на сегодня? – спросил я Киото Мавари, раскуривая сигару.

– Сначала – холодный душ. Затем одеваетесь в полевую форму одежды и – на полигон, вместе со мной.

– На какой полигон? – хотел уточнить я.

– Там увидите. Поторапливайтесь, а я подожду вас на улице возле машины.

* * *

В автомобиле полковника Киото Мавари мы оставили Харбин и ехали по разбитой танками загородной трассе еще не менее часа.

Всю дорогу полковник молчал, а я позволил себе вздремнуть.

Когда в очередной раз автомобиль встряхнуло на колдобине, я открыл глаза и понял, что мы подъехали к тому самому полигону, о котором еще утром говорил мне Киото Мавари. Ни разу до этого я здесь не бывал, хотя, за короткое время обучения в отряде «Облако 900» успел на собственных коленках и брюхе облазать множество полигонов и учебных центров японской военной миссии.

Инструкторы учили меня преодолевать без альпинистского снаряжения горные массивы и полосы препятствий, опутанные колючей проволокой. Занимались со мной кроссовой подготовкой и преподавали уроки управления всяческой боевой техникой. Испытывали на выживание в пустынной местности, заставляя по трое суток перебираться через пески без пищи и воды, ориентируясь без компаса, только по звездам... Многому учили. Впрочем, всему этому я уже был обучен в подмосковной разведшколе еще в самом начале войны. Но теперь, после того случая с успехами в огневой подготовке и рукопашном бое, я не выпендривался, а делал вид, что старательно постигаю новые для себя науки, правда с активностью весьма способного ученика.

Этот же полигон, на который мы прибыли, был, в отличие от других, очень похож на огромное кладбище – все вокруг тихо и недвижимо.

При въезде через контрольно-пропускной пункт я успел прочитать надпись, сделанную иероглифами: ***«"Отряд 731" – Главное управление по водоснабжению и профилактике частей Квантунской армии».***

Ни о каком таком «Отряде 731» мне раньше слышать не приходилось. Это было что-то новенькое. При чем здесь водоснабжение и о какой профилактике идет речь? Раз уж я попал сюда, то был уверен: на все эти вопросы в скором времени найдутся ответы.

И не ошибся.

– Предупреждаю сразу, – сказал мне еще в машине полковник Киото Мавари. – Я привез вас на совершенно секретный объект. И не сделал бы этого, если бы изучение данной темы не было связано с вашим будущим заданием на территории СССР.

Видать, никаким водоснабжением здесь и не пахло.

Остановив машину, полковник вышел из салона и жестом показал мне, чтобы я следовал за ним. Мы вместе прошли к железобетонному бункеру и, миновав массивные металлические двери, по ступеням спустились глубоко под землю.

Через каждые десять метров здесь стояли вооруженные солдаты и тщательно проверяли наши документы, немедленно докладывая кому-то о произведенной проверке по телефону.

– Смотрите, господин Кегельбаум, – вновь заговорил полковник, когда мы вошли в помещение, где, судя по всему, находилась секретная лаборатория. – Здесь создается совершенно новое оружие, не требующее предварительных стратегических разработок и личного участия солдат нашей великой армии в ведении боевых действий.

Единственное, что я перед собой видел, – это колбочки, прозрачные ящички и коробочки, в которых мирно себе ползали всяческие жучки-паучки, с виду обыкновенные и безобидные.

– Это – биологическое оружие, – со значением произнес Киото Мавари. – Смертоносная сила, пожирающая все на своем пути. Здесь, на этом полигоне, в течение трех суток с вами будут заниматься лучшие японские биологи, которые во всех подробностях разъяснят вам суть своих новейших разработок. Обратите особое внимание на то, что в дальнейшем, после переброски на советскую территорию, вам придется использовать это оружие по назначению. Впрочем, мне пора, а вами займется профессор Осумо Каяда.

От группы людей в белых халатах, работавших все это время у нас на глазах с насекомыми и крохотными червячками, к нам подошел преклонных лет японец и поклонился.

Киото Мавари уехал, а я остался в этом затхлом жутком бункере, похожем на склеп.

Ну и что мне стало известно? Оказывается, японская армия была первой в истории войн, применившей бактериологическое (биологическое) оружие.

По свидетельству командующего Квантунской армией Отодзо Ямада, она вела бактериологическую войну главным образом в Северо-Восточном Китае – Маньчжурии, в результате которой погибли тысячи китайцев, был уничтожен почти весь скот.

Методов ведения войны было три: рассеивание бактерий артиллерийскими снарядами и минами; сбрасывание с самолетов бомб, начиненных бактериями; бактериологическое заражение жилых районов, источников, пастбищ.

Ведение бактериологической войны было поручено «Отряду 731» под командованием генерал-лейтенанта медицинской службы Сиро Исии.

Но вот что говорил мне профессор Осумо Каяда:

– Особенность бактериологического оружия заключается в первую очередь в его высокой эффективности. Мертвый металл при артиллерийской стрельбе поражает лишь определенные объекты на конкретном участке, раненые быстро выздоравливают и возвращаются в строй. Иное дело живые бактерии. Передаваясь от человека к человеку, распространяясь из сельской местности в города, они наносят все возрастающий ущерб.

Чудовищно! Можно было сделать вывод, что мне в недалеком будущем предстояло рассеивать эти самые бактерии на территории Советского Союза. Неслабую же миссию избрал для меня полковник Киото Мавари.

А обучали меня на полигоне «Отряда 731» весьма старательно. Видать, большие ставки делались на Вениамина Кегельбаума.

Я учился, не ленился и с каждым часом получал все новую и новую информацию.

Полученные японскими военными биологами бактерии, проникая в человеческий организм, действовали длительное время и давали высокий процент смертности.

Люди после бактериологического поражения выздоравливали редко.

Вторая особенность заключалась в том, что бактериологическое оружие было наиболее выгодно для Японии, бедной запасами полезных ископаемых. Это оружие не требовало крупномасштабных экспериментов и громоздкого оборудования для разработки и производства. Все работы возможно было замаскировать под медицинские исследования. Соответственно, невелики были и расходы.

ИСТОРИЧЕСКАЯ СПРАВКА:

«Отряд 731» дислоцировался в районе поселка Пинфань провинции Биньцзян, в двадцати километрах южнее города Харбина.

В 1935 году в местечке Мэнцзятунь было создано «Иппоэпизоотическое управление Квантунской армии».

В 1939 году в Центральном Китае начал действовать «Отряд Тамма». Все эти подразделения японской армии выполняли те же боевые задачи, что и «Отряд 731».

«Иппоэпизоотическое управление Квантунской армии» называлось также «Маньчжурским отрядом 100». Он занимался исследованиями болезнетворных микроорганизмов, предназначенных для заражения домашнего скота.

Самым крупным и самым жестоким из трех был «Отряд 731» генерала Исии.

В нем были отделы от первого до четвертого, а также отдел материального снабжения, учебный отдел и отрядная лечебница. Первый отдел занимался фундаментальными исследованиями бактериологической войны, главной функцией второго отдела были практические опыты на живых людях. Начальник этого отдела полковник Оота в дальнейшем был назначен командиром нового «Отряда Тамма».

Экспериментировали во втором отделе на бойцах Красной Армии, солдатах и офицерах китайской армии; в качестве подопытных использовались так называемые «антияпонские элементы» – китайские разведчики, студенты, рабочие, журналисты, а также люди, задержанные за совершение уголовных преступлений. Это были главным образом китайцы, а также русские белоэмигранты.

Для подопытных существовала специальная тюрьма. Жандармерия и разведка неустанно заботилась о пополнении «материала» – в грузовиках с черным закрытым кузовом без окон привозили все новые и новые жертвы.

Погибших в результате экспериментов сжигали в печах. Подопытным давали порядковые номера; для конспирации они назывались «бревнами».

Жертв опыта крепко привязывали к врытым в землю железным столбам и заражали чумой; с самолета рассеивали на опытное поле с заключенными чумных блох; у других подопытных оставляли обнаженными только ягодицы и на предельно близком расстоянии от них взрывали бомбы со шрапнелью, зараженной возбудителями газовой гангрены.

При проведении совместных опытов с химическим «Отрядом 731» в качестве индикаторов степени заражения местности использовали живых людей.

В 1939 году на втором этапе боев на Халхин-Голе источники воды во всем районе были заражены тифом, холерой, чумой. За эту боевую операцию «Отряд Исии» получил благодарность от командующего 6-й отдельной армией.

Три тысячи китайцев, содержавшихся в лагере военнопленных в Нанкине, накормили пирожками, зараженными тифозными бактериями, после чего всех отпустили на волю – разнести заразу по территории противника.

Получая важную и, признаюсь, страшную информацию от профессора Осумо Каяда, я думал лишь о том, чтобы все это хорошенько запомнить и суметь передать срочную шифрограмму в Центр. Сомнений не было: с началом военных действий против СССР Квантунская армия непременно обрушит на советскую территорию весь этот бактериологический кошмар.

...А полковник Киото Мавари приехал за мной ровно через три дня.

– Господин Кегельбаум! – воскнул Киото Мавари. – Да на вас лица нет! Вы бледны, как покойник. Что стряслось?

– Трое суток, господин полковник, я провел в подземелье. Наверное, недостаток солнечного света и свежего воздуха сказались на состоянии моего организма.

– Но каковы ваши впечатления от наших биологических разработок?

– Не буду скрывать: вы чудовище.

Киото Мавари в ответ только рассмеялся.

– Не изображайте из себя ангела, Кегельбаум! Война не делается в белых перчатках и полностью отрицает всяческую мораль.

...А уже через два дня я отправил в Центр шифровку, в которой говорилось:

«Москва. Центр.

"Отряд 731" фабрика по производству смертоносных бактерий.

В месяц здесь производится бактериальной массы чумы до 300 кг; сибирской язвы – до 500–600 кг; брюшного тифа, паратифа, дизентерии – до 800–900 кг; холеры до 1 тонны.

В отряде три генерал-лейтенанта медицинской службы, шесть генерал-майоров, десять полковников, двадцать с лишним подполковников и майоров, триста младших офицеров и прапорщиков.

Кроме того, здесь собраны ученые-бактериологи со всей Японии.

По приблизительным подсчетам общая численность "Отряда 731" превышает две тысячи человек.

Необходимо принять срочные меры по уничтожению "Отряда 731".

Жду дальнейших указаний.

"Ахиллес"».

– Мне не нравится ваше настроение, – говорил мне в те же тревожные дни полковник Киото Мавари. – Подавленность и малодушие не должны руководить вами. При этом я понимаю, что увиденное на полигоне «Отряда 731» произвело на вас неизгладимое впечатление. Возьмите себя в руки, господин Кегельбаум.

– Вы напрасно беспокоитесь, господин полковник, – отвечал я ему, чтобы не усложнять свое и без того сложное положение. – Я в самом деле шокирован увиденным на полигоне. Но ведь меня можно понять: не каждый день сталкиваешься с подобными дьявольскими разработками!

– Может быть, вы не готовы продолжать обучение и отказываетесь от дальнейшей работы под моим началом? Можете смело сказать мне об этом. Я, как любой нормальный человек, смогу вас понять.

– Нет, я готов к работе, – сухо заявил я. – Можете не сомневаться во мне, господин полковник. И потом, вам, как никому другому, должно быть понятно, что обратного пути у меня просто не существует. К прошлой жизни все мосты сожжены.

– Я высоко ценю ваше благоразумие, господин Кегельбаум. Кстати, учиться нам с вами осталось ровно неделю...

Оставаясь внешне спокойным, я в душе заметался из угла в угол. Нужно было дождаться ответа из Центра – какие действия предпринимать в отношении обнаруженного полигона. Кроме того, если верить словам Киото Мавари, через неделю меня должны были забросить в СССР. Если мы не успеем осуществить операцию по похищению Киото Мавари, если не уничтожим этот чертов полигон... Если...

Этих «если» накапливалось великое множество. Но любое из решений могло быть принято только после точного и авторитетного распоряжения из Москвы.

* * *

1945 год, июль. Москва. Кремль.

Начальник Главного управления контрразведки «Смерш» генерал-лейтенант Виктор Семенович Абакумов стоял перед Сталиным и, не произнося ни звука, слушал монолог генералиссимуса.

– Я бы ни за что не поверил, товарищ Абакумов, сообщениям этого вашего агента... Ахиллеса. Более того, я бы немедленно отозвал его в Москву и приказал расстрелять за паникерство и воспаленные фантазии. Но, во-первых, мне известно, что Ахиллес – это полковник Журбин, которого я знаю с сорок первого года и вполне доверяю ему как разведчику. А во-вторых, мне еще помнятся события на Халхин-Голе в тысяча девятьсот тридцать девятом году. Тогда мы так и не разобрались, отчего вдруг вся округа была заражена чумой и холерой. Бестолковые врачи списали это на естественные условия распространения инфекции при несоблюдении норм санитарии и личной гигиены. Сегодня можно смело сделать вывод, что уже тогда биологическое оружие применялось нашим противником в полном объеме. Я восхищен действиями полковника Журбина. Завтра же подготовьте соответствующее представление о награждении его орденом Ленина и присвоении звания Героя Советского Союза. Вы меня хорошо поняли, Виктор Семенович?

– Так точно, товарищ Сталин, – ответил Абакумов. – Представление на полковника Журбина будет готово завтра же.

– Армия маршала Василевского давно сосредоточена на наших дальневосточных рубежах. Но сегодня, как ни странно, мы с вами должны спасать эту армию. Спасать еще до начала ее наступления на Маньчжурию. Японцы, вне всяких сомнений, применят против наших солдат биологическое оружие. Кроме того, масштабному заражению могут быть подвергнуты Хабаровский край, Приморье, Сахалин... Мы этого допустить не имеем права. У вас есть соображения по поводу реализации информации, полученной от Ахиллеса?

– Есть, товарищ генералиссимус, – ответил генерал-лейтенант Абакумов. – Предлагаю использовать разведывательно-диверсионную группу из личного состава Отдельной мотострелковой бригады особого назначения.

– Насколько эффективными могут быть действия такой группы? Где гарантии, что всех до одного наших десантников не уничтожат еще при приземлении, как сами мы уничтожаем вражеских парашютистов?

– Гарантий, Иосиф Виссарионович, действительно мало. Но другого способа ликвидировать «Отряд 731» я не вижу.

– А если применить авиационную бомбардировку точно указанного района? – предположил Сталин.

– Работа бомбардировочной авиации будет означать начало ведения боевых действий против Квантунской армии. А это, боюсь, не совпадет со стратегическими планами войскового прорыва армии маршала Василевского. Масштабная армейская операция, рассчитанная на молниеносный удар со стороны пустыни Гоби и Хинганского хребта, будет поставлена под угрозу полного срыва. В таком случае война с Японией может стать затяжной. Хватит ли у нас резервов для ведения длительных военных действий на дальневосточном плацдарме?

– Вы правы, генерал, – произнес Сталин. – Готовьте к операции диверсионную группу.

– Разрешите одно уточнение, товарищ Сталин?

– Уточняйте.

– Работа наших диверсантов по ликвидации полигона-лаборатории «Отряда 731» должна в обязательном порядке день в день совпасть с операцией по похищению из Харбина полковника Киото Мавари и исчезновением самого Ахиллеса. Иначе Журбину грозит смертельная опасность.

– Как хотите, – махнул Сталин рукой. – Безопасность Журбина – ваша забота. А моя задача обеспечить прорыв в Маньчжурию армии маршала Василевского и выиграть войну с милитаристской Японией. Вы свободны, товарищ Абакумов.

* * *

1945 год, июль. Китай. Маньчжурия. Харбин.

Полковник Киото Мавари не переставал меня удивлять. Даже на последнюю неделю моего пребывания в Харбине он приготовил сюрприз.

– Вы помните, господин Кегельбаум, я как-то спрашивал вас, знаете ли вы, что такое БРЭМ?

– Да, разумеется, – отвечал я полковнику во время очередного нашего совместного ужина в ресторане Рийзмана. – Вы тогда рассказали, что это некая русская эмигрантская организация.

– В общих чертах – да, – кивнул Киото Мавари. – Но это лишь красочная обертка к другому сообществу русских людей, с которыми я хотел бы вас, мой дорогой друг, познакомить. Поверьте, это истинные патриоты России, волей судьбы заброшенные в Маньчжурские сопки, но не оставившие мысли о возрождении своей страны. Не удивляйтесь, я говорю о Всероссийской фашистской партии.

Я от неожиданности чуть было не потерял дар речи.

– И не надо на меня так смотреть, господин Кегельбаум. Не отрицайте заранее то, о чем не имеете ни малейшего понятия.

– Ну, так расскажите мне поподробнее, что это за партия такая – русская фашистская. – По коже моей побежали мелкие холодные мурашки, а руки едва не сжались в кулаки.

– РФП – Русская фашистская партия, – начал свои пояснения Киото Мавари. – Была создана в Харбине еще в 1931 году. Разумеется, не без помощи разведки «Токуму кикан» . Генеральный секретарь партии – господин Родзаевский, вы с ним еще познакомитесь, я надеюсь. Смею вас заверить, Родзаевский – человек прекрасно образованный, блестящий оратор, с несомненными организаторскими способностями. Мы нисколько не пожалели, что доверили ему столь важный и ответственный пост.

– Никогда бы не подумал, что русские могут создать свою фашистскую организацию, – невольно вырвалось у меня. Пришлось немедленно поправиться: – Я в том смысле, что мои земляки отличаются излишней сентиментальностью и расхлябанностью в помыслах и практических действиях. Русского человека всегда больше тянуло к крестам, иконам и молитвам.

– Ну что вы! – воскликнул Киото Мавари. – Эмигрантские фашистские группировки существуют сегодня во многих странах Европы, в Соединенных Штатах Америки, в Латинской Америке и – у нас, на Дальнем Востоке. Вы поймите, что они возникли в среде русской эмиграции и как мгновенная реакция на поражение белого движения в период русской Гражданской войны, и как попытка найти способ борьбы с коммунистической идеологией в Советском Союзе...

Я внимательно слушал разглагольствования полковника японской разведки и старался понять, к чему он клонит и для чего так подробно мне все это рассказывает. Пока что ничего путного в голову не приходило. А Киото Мавари продолжал:

– Сегодня представители этого движения рассматривают фашизм благом для России. Если тщательно проанализировать характер развития фашистской партии в Харбине, то можно заметить, что на ее идеологию сильнейшее влияние оказал итальянский фашизм и лично Бенито Муссолини. Кстати говоря, господин Родзаевский и по сей день находится под влиянием величайшего обаяния этого бесспорного политического лидера...

– Вы, господин полковник, уже дважды назвали фамилию Родзаевского. В чем же его заслуга, кроме того, что он является ставленником японской разведки на этом посту?

– Мы всегда делаем ставки на исключительных людей, личности которых можно без опаски назвать выдающимися. В конце 1933 года Родзаевский первый выдвинул идею объединения всех эмигрантских фашистских организаций. В Америке его поддержал господин Вонсяцкий – создатель Всероссийской фашистской организации в США. В феврале – начале марта 1934 года они встретились в Японии и договорились о создании объединенной фашистской партии с центром в Харбине. Вонсяцкий был объявлен председателем, а Родзаевский – генеральным секретарем. Должен вам признаться, что здесь мы просчитались. Дружба этих людей была недолгой. Уже в декабре 1934 года произошел полный разрыв в их отношениях. Думаю, два сильных человека просто не поделили власть. Хотя, по официальной версии, Вонсяцкий не принял крайнее юдофобство Родзаевского, а также выступил против сотрудничества с атаманом Семеновым как с личностью, глубоко дискредитировавшей себя еще во времена Гражданской войны. В результате Вонсяцкого исключили из партии на втором съезде в 1935 году. Съезд тогда собрал 104 делегата от русских фашистских организаций из Маньчжурии, Японии, Китая, Сирии, Марокко, Болгарии, Польши, Финляндии и Германии. Тогда же главой Всероссийской фашистской партии был провозглашен господин Родзаевский.

– Не сомневаюсь, – проговорил я, – что «Токуму кикан» держит всю верхушку партии в ежовых рукавицах.

– Нет, не так радикально, – ответил мне Киото Маври. – Мы лишь отслеживаем и при необходимости корректируем деятельность партии и ее основные направления работы. А идеология проста – антикоммунизм, антисоветизм и антисемитизм.

– Что вы сказали?! – пуще прежнего удивился я. – Антисемитизм?! Как это понимать в данной ситуации? Возьмите хотя бы моего брата, Бориса Рийзмана, или меня. Мы же евреи! Но брат мой в этих условиях процветает, а мне вы готовы доверить самые сокровенные тайны. Это что – двойная мораль и бесформенная политика?

– Назовите, как хотите, – чуть улыбнулся Киото Маври, – но ваш брат не является членом фашистской партии и даже не приближен к ней. И тем не менее приносит много пользы русскому фашистскому движению. С его национальными корнями приходится мириться. Что же касается вас, мой друг, то вы все-таки по роду деятельности ближе к оперативной разведке, чем к декламации национал-социалистских лозунгов об освобождении России от большевиков. Национальная революция в России, свержение советской власти и установление фашистской диктатуры, на чем так рьяно настаивает господин Родзаевский, – не более чем плодоносная почва для продвижения на территорию СССР чистых идей Великой Японской Империи.

– Ну, теперь понятно, – спокойно произнес я. – Значит, вы этих фанатиков просто-напросто используете в своих целях. И нужны они вам будут ровно до тех пор, пока вы этих целей не достигнете.

– Заметьте, господин Кегельбаум, – глядя на меня в упор, произнес Киото Мавари. – Я вам ничего такого не говорил.

– Я уже заметил.

– В таком случае завтра днем мы с вами отправимся знакомиться с лидерами Всероссийской фашистской партии. Самого господина Родзаевского на этой встрече, к сожалению, не будет – он откомандирован нами за границу – но с другими руководителями вам повстречаться не повредит.

– А зачем? – напрямки спросил я.

– Не спешите, – уклонился от ответа полковник Киото Мавари. – Всему, как говорится, свое время...

* * *

ИСТОРИЧЕСКАЯ СПРАВКА:

Руководители русских фашистов в Маньчжурии уделяли большое внимание работе среди всех слоев эмиграции.

Так, ЦИК ВФП, заявив, что «стремится объединить эмигрантские массы по профессиональному признаку», создал в Харбине в 1934 году Союз национальных союзов, в который вошли Общество служащих, Союз печатников, Объединение оренбуржцев, Союз работников, Союз русских торговопромышленников и Союз железнодорожников. Последнему по указанию японских властей фашисты уделяли особое внимание.

В секретной записке, составленной ЦИК ВФП в январе 1935 года, подчеркивалось, что в связи с предстоящей продажей КВЖД «отмечается усиленная работа Союза железнодорожников» и «подготовлены реальные мероприятия по массовому устройству членов ВФП на СМЖД».

По инициативе Родзаевского в 1932 году было образовано Российское женское фашистское движение. В 1934 году были созданы детские и юношеские организации: союз юных фашистов «Авангард» (мальчики от 10 до 16 лет), Союз юных фашисток-авангардисток (девочки от 10 до 16 лет), Союз фашистских крошек (дети от 5 до 10 лет) и Национальное объединение русской молодежи (юноши и девушки от 16 до 25 лет).

В августе 1934 года в Харбине начала функционировать Высшая партийная школа – для подготовки руководящих кадров, организаторов и агитаторов, «будущих строителей Русского фашистского здания».

Руководство русских фашистов в Маньчжурии неоднократно подчеркивало, что «фронт ВФП – фронт беспощадной борьбы с коммунизмом за светлое будущее родного народа и за возрождение Великой России находится в России».

Программными документами партии были определены главные направления антисоветской деятельности: «доставка фашистской литературы в СССР, устройство террористических актов, вредительство и повстанчество».

Деятельность русских фашистов в Маньчжурии полностью контролировалась японскими военными властями. Так, в 1936 году под руководством японского офицера Судзуки был организован Первый фашистский отряд спасения Родины, во главе которого стоял бывший телохранитель Родзаевского М. П. Маслаков.

Переброской отряда в СССР занимались японцы. Вскоре отряд из 40 человек был уничтожен частями НКВД в районе станции Амазар.

Несмотря на то, что у большей части российской эмиграции в Харбине отношение к фашистам было весьма прохладным, они все же находили сторонников, прежде всего среди русской молодежи. Молодежь думала, что белое движение не сумело противопоставить большевистским лозунгам собственных позитивных лозунгов и верила в обещания Родзаевского возродить великую, единую, неделимую Россию, Россию русской нации.

На совести Родзаевского и других фашистских руководителей много жертв молодых, обманутых ими русских парней, согласившихся на ведение открытых враж-

дебных акций против своей родины, на то, чтобы стать японскими шпионами, диверсантами. Их быстро, чаще всего тут же, на границе, вылавливали, приговаривали к расстрелу.

В исследовательской литературе широко распространена оценка ВФП как партии уголовников, кровавые преступления которых – убийства, похищения людей – терроризировали население, и эмигрантскую массу прежде всего.

ВФП превратилась в составную часть японо-маньчжурской мафии в Маньчжоу-го, вовлеченной во все грязные дела японской военщины: рэкет, похищения людей, шпионаж, диверсии и провокации против СССР, советских организаций и учреждений в Северо-Восточном Китае, отдельных советских граждан.

Самого Родзаевского японцы решили использовать в БРЭМ. В ноябре 1943 года он был назначен помощником начальника Бюро, где отвечал за важнейшие направления – пропагандистскую, идеологическую и воспитательную работу.

После вступления Советской армии в Маньчжурию Родзаевский, оставив в Харбине жену и двоих детей, с несколькими сподвижниками бежал в Тяньцзин.

Здесь 22 августа 1945 года он написал письмо Сталину, в котором, помимо подробного рассказа о фашистском движении в Маньчжурии, заявил о глубоком раскаянии, желании искупить вину любым трудом и готовности понести самую страшную кару.

Родзаевский добровольно сдался советским властям, переехав из Тяньцзиня в Пекин. Отсюда его 25 октября 1945 года перевезли в Чанчунь, где и арестовали.

По приговору суда, состоявшегося в конце августа 1946 года, К. В. Родзаевский был приговорен к расстрелу.

...Тараканьи бега были в самом разгаре, когда мы с полковником Киото Мавари вошли в невероятных размеров особняк, больше походивший на императорские покои, расположенный на окраине Харбина. Здесь находилась одна из штаб-квартир Бюро по делам русской эмиграции – БРЭМ.

Люди, претендующие на толстые министерские портфели в новом, освобожденном от большевиков, Российском государстве, с азартом буйных умалишенных гоняли по специальным узким дорожкам, сколоченным из фанерных листов, огромных размеров тараканов, делая ставки покруче тех, что делаются на ипподромах всего мира. Здесь улюлюкали и кричали нецензурщину, залпом осушали один фужер шампанского за другим, суетились и толкали друг друга локтями. А банкующие крупье не ленились собирать в актив призового фонда все возрастающие и возрастающие суммы.

Отправляясь сюда, я на всякий случай не забыл предупредить об этом Николая Каблукова. И теперь точно знал: Коля крутится где-то поблизости от штаб-квартиры БРЭМ, лучшие люди которого заняты важным и ответственным делом – тараканьим гоном.

Появление здесь полковника Киото Мавари было встречено бурными аплодисментами. Состязания насекомых прекратились. Лица, разгоряченные игрой, приняли достаточно серьезные выражения. Куда-то неожиданно подевались сноровистые крупье. А вперед вышел человек, который, судя по всему, на время заграничной командировки Родзаевского остался исполнять его обязанности.

– Господа! – воскликнул он. – Какое счастье! Мы с вами снова можем лицезреть господина Киото Мавари!

Подобострастие этого мужчины, на вид лет шестидесяти, одетого в строгий черный костюм, украшенного сединой шевелюры и аккуратно подстриженной бородкой, было легко объяснимо. Японская разведка кормила всю эту свору, что называется, с руки. А тот факт, что седовласый бородач столь эмоционально отреагировал на появление Киото Мавари, позволял полагать, что не так уж и часто полковник баловал фашиствующую русскую эмиграцию личным вниманием. Скорее всего, от его имени действовали сотрудники «Токуму кикан» рангом пониже.

– Господин Ложечников, – обратился Киото Мавари к седовласому говоруну, – хочу вам представить моего близкого друга, приехавшего недавно в Харбин из Константинополя. Познакомьтесь – Вениамин Кегельбаум.

– Очень! Очень приятно! – чуть не захлебнулся тот от восторга. И назвался: – Граф Иван Андреевич Ложечников! Прямой потомок графского рода Лопухиных! Тех самых Лопухиных! – Он поднял вверх указательный палец правой руки.

– Оч-ч-чень приятно, – ответил я ему без особых эмоций.

Подошедший официант принес на серебряном подносе бокалы с шампанским, и мы с игривым потомком Лопухиных пригубили игристого вина. Киото Мавари от выпивки отказался.

– Пройдемте в ваш кабинет, граф, – проговорил полковник, обернувшись к Ложечникову. – Нам необходимо переговорить.

Втроем мы направились на второй этаж, где располагались рабочие апартаменты одного из предводителей БРЭМ.

Толпа внизу облегченно вздохнула. Видимо оттого, что не получила от Киото Мавари крепкого нагоняя за праздное времяпрепровождение. Вряд ли японская разведка готова была оплачивать тараканьи бега.

– Я так понимаю, – первым начал Ложечников, – что господин Кегельбаум имеет желание вступить в нашу организацию, раз уж его представляет мне сам господин Киото Мавари.

– Нет, вы неверно представляете себе цель нашего визита, – ответил ему полковник. – Если господин Кегельбаум и станет официальным членом БРЭМ, то – чуть позже, после успешного выполнения задания, порученного ему японской военной миссией.

Расслабленное шампанским лицо Ложечникова моментально стало серьезным и даже суровым.

– Простите, господин полковник, за неосторожные преждевременные высказывания. Я весь внимание.

– Меня интересует вопрос: готова ли Всероссийская фашистская партия при необходимости публично взять на себя ответственность за ряд диверсий и террористических актов, совершенных на территории СССР?

– Но, простите... – Ложечников заметно стушевался. – О каких диверсиях идет речь?

– Для начала, – строго заговорил Киото Мавари, – я выскажу вам ряд своих претензий, чтобы у вас, граф, не возникало иллюзий насчет возможности свободного выбора. Меня уже давно раздражают ваши дилетантские выходки в пограничной зоне Советского Союза. Ума и подготовки ваших так называемых патриотов хватает лишь на то, чтобы пересечь государственную границу СССР и тут же сдаться пограничникам. Это в лучшем случае. А в худшем их просто расстреливают, как стадо крупного рогатого скота еще на контрольно-следовой полосе. И это вы называете работой?! Грош цена таким акциям. Тем более сейчас, когда по ту сторону границы стянуты войска маршала Василевского! Вы понимаете, что начала крупномасштабных военных действий не избежать?

– Да-да, конечно, – растерянно проговорил Ложечников. – Весь Харбин гудит как растревоженный улей, и все только и твердят, что о скором начале войны с Советами.

– Ваши плохо подготовленные наскоки на русских не страшнее комариного укуса. А средства, затраченные на подготовку горе-диверсантов Всероссийской фашистской партии, сравнимы с затратами на годовое содержание целой пехотной дивизии! Вы соображаете, что творите?!

Ложечников был раздавлен. И, наверное, сожалел, что руководитель партии – Родзаевский – был сейчас в отъезде (так бы все шишки достались ему). Скорее всего, хитрый лис знал о предстоящем разносе и вовремя смылся, оставив вместо себя графа Ложечникова как мальчика для битья.

– Итак, – голосом надавил Киото Мавари, – спрашиваю еще раз: готова ли ваша организация публично и официально признать террористические акты, которые будут реализованы в ближайшее время на территории СССР?

– Безусловно! – как застоявшийся в зимнике мерин, мотнул своей кудлатой седой головой Ложечников. – Вы можете не сомневаться, господин полковник, в нашей беспредельной и бескорыстной преданности японскому правительству.

– О бескорыстии вы своим внукам расскажете, – скривился Киото Мавари. – А теперь слушайте меня внимательно. В ближайшие три дня вы должны отобрать из числа наиболее подготовленных людей четверых. Они пойдут через границу вместе с господином Кегельбаумом...

Наконец-то мне все стало понятно.

Полковник Киото Мавари намеревался отправить вместе со мной еще четверых негодяев из Всероссийской фашистской партии. Они, в силу отсутствия должного обучения и специальной подготовки, будут наверняка схвачены при переходе границы и, безусловно, «засветятся» как активные члены ВФП и БРЭМ. Это все помимо того, что четверка недоучек должна будет отвлечь внимание советских чекистов от моей персоны.

Само собой, контрразведка «Смерш» без особого труда получит от них первичные сведения обо мне (согласно легенде, о Вениамине Кегельбауме). Таким образом, террористические акты, возложенные на меня как на завербованного агента японской разведки, будут запросто списаны на русскую эмиграцию в Харбине. А японцы останутся ни при чем! Красиво играл полковник Киото Мавари, ничего не скажешь.

– Ну, вот и хорошо! – одобрительно проговорил Киото, закончив разговор. – Теперь можно спуститься вниз и выпить шампанского за успешное осуществление наших общих планов.

На подгибающихся от волнения коленях граф Ложечников отправился вслед за полковником. Я замыкал эту процессию.

* * *

...– Граф! – К Ложечникову буквально подбежал совершенно лысый мужичок-боровичок ростом чуть более метра, с пузом, напоминающим десятиведерный боярский самовар. – Я должен вам срочно что-то сказать!

Схватив Ложечникова за рукав пиджака, он с силой потянул его в сторону, то и дело поглядывая на меня.

Интересно, чего этому пузану так спешно понадобилось от моего нового знакомого?

Отойдя к стене, они вдвоем принялись о чем-то бурно перешептываться. При этом коротышка не сводил с меня глаз.

О чем же они там шепчутся?

Что ж, читаем по губам. Не зря меня этому учили в разведшколе.

«Я знаю Кегельбаумов!» – это коротышка Ложечникову говорит.

«Ну, и что же с того?» – спрашивает у него граф.

«Я знал всю семью Кегельбаумов еще в Одессе, будь она неладна, эта красная Одесса!»

«Поздравляю вас! Но что же в этом особенного?!» – удивляется граф.

«Этот господин – не Веня Кегельбаум!» – зловеще шепчет коротышка-пузан.

«С чего вы взяли?!» – восклицает шепотом граф.

«Веня Кегельбаум, как и его отец, которого давно расстреляли в Одессе большевики, – черноволосый кучерявый мерзавец, который еще в десятилетнем возрасте приударял за моей младшей дочерью Софочкой, а между делом жрал на моей кухне жареную кефаль. А этот человек, вы только обратите внимание, совсем рыжий!»

«Он не рыжий, а русоволосый», – отвечает ему Ложечников.

«Так и я вам говорю о том же! А Веня Кегельбаум был смуглым и имел-таки черные как смоль кудрявые волосы!»

«Неужели?!» – ужаснулся граф Ложечников.

«А как вы думали?!»

«Выходит, этот милый господин, которого нам только что представил полковник Киото Мавари, – наглый самозванец?!»

«Боюсь, что хуже – шпион!»

Вот и приехали. Такого поворота событий я ожидать не мог.

Спецы по составлению легенд, обосновавшиеся в Москве на Лубянке, учли все – и состоявшийся в действительности расстрел отца настоящего Вениамина Кегельбаума, и смерть в Константинополе его опекуна, и даже то, что сам Веня Кегельбаум технично похищен в Константинопольском порту и через пролив Босфор вывезен в СССР. Сейчас отдыхал на нарах лубянской тюрьмы, пока я выполнял свое задание, воспользовавшись его именем. Не смогли они предусмотреть только того, что в Харбине в рядах русской фашиствующей партии окажется человек, лично знакомый со всем семейством Кегельбаумов. Таким образом, я оказался на краю пропасти, на самой грани провала.

А эти двое – Ложечников и пузан – семеня конечностями, уже направились к полковнику Киото Мавари, который мирно беседовал в это время с кем-то из членов партии, стоя у самого выхода из здания.

Мое сердце, сказать по правде, провалилось в пятки. Я знал точно, что если эти двое подойдут к Киото Мавари и доложат о своем открытии, мне отсюда живым не выйти. Хотя, может быть, и выйду живым, но уже под конвоем. И пытать меня будет Киото Мавари с особым пристрастием.

Что же делать?! Не придумав ничего лучшего, я двинулся наперерез шустрой парочке, желая перехватить их на полпути к полковнику. Еще не знал, как смогу остановить их и что скажу в свое оправдание...

А входная дверь распахнулась, и в помещение штаб-квартиры вошел капитан Фудзинаи – помощник Киото Мавари. Этого мне еще не хватало.

Приблизившись к полковнику минутой раньше, чем к нему успели подойти Ложечников с приятелем, Фудзинаи что-то сказал Киото Мавари.

Полковник повернулся к присутствующим и громко произнес:

– Господа! Господа! Прошу прощения, но я вынужден оставить вас. Меня ждут дела, не терпящие отлагательств. Всего вам доброго.

Наверное, капитан Фудзинаи принес полковнику какую-то важную весть, потому как Киото Мавари не собирался задерживаться ни на секунду. Он даже позабыл на время о том, что приехал сюда со мной.

В сопровождении капитана полковник стремительно направился к выходу...

– Господин полковник! – воскликнул граф Ложечников. – Подождите минуту, господин полковник! Мне нужно срочно вам что-то сказать!

Ложечников готов был уже схватить Киото Мавари за рукав зеленого мундира. Но полковник коротко обернулся и бросил на ходу:

– В другой раз, любезный граф. Сегодня мне некогда.

И покинул помещение.

Я, переведя дыхание, как можно спокойнее тоже направился к выходу.

Во-первых, нужно было убедиться, что Киото Мавари уехал. А во-вторых, хотел посмотреть, какие дальнейшие действия предпримет Ложечников. Только бы он не поднял сейчас всеобщую шумиху. Если вся эта оголтелая братия набросится на меня одним махом, то через секунду от меня останутся, как в русской сказке, лишь рожки да ножки.

Нет, кричать что-то вроде «держи шпиона» Ложечников и пузан не стали. Они последовали за мной. И это было как нельзя на руку.

Автомобили полковника Киото Мавари и капитана Фудзинаи отъехали от особняка, а я ровным шагом пошел по тротуару, заметив тут же, что по противоположной стороне улицы в том же направлении, что и я, идет Коля Каблуков. Он, как всегда, прикрывал меня.

Заранее оговоренным условным знаком я дал понять Николаю, что меня преследуют эти двое, вышедшие из особняка. А дальше просто перекрестил указательным пальцем воздух перед собой. Жест означал, что их нужно убрать.

Пройдя до ближайшего переулка, я свернул в темноту. И Ложечников с коротышкой увязались за мной. Бывают же такие неосмотрительные люди!

Нет, уже не бывают. Как только мои преследователи свернули с широкой освещенной улицы, за ними в темноту тут же шагнул Николай. И я услышал за своей спиной два коротких вскрика. Сначала один и спустя секунду другой.

Развернувшись, я подбежал к двум бездыханным телам, над которыми склонился Каблуков, проверяя, достаточно ли качественно он сделал свою работу.

– Ну как? – спросил я.

– Оба мертвы, – ответил Николай. – А что случилось?

– Рассказывать некогда, – торопливо заговорил я. – Мне нужно немедленно возвращаться, чтобы никто ничего не заподозрил. Трупы спрячешь?

– Попытаюсь. – Николай осмотрелся вокруг. – Давай сматывайся.

...У Ложечникова была дырка от ножа в груди в области сердца. А у человека-самовара – перерезано горло.

Коля остался разбираться с убитыми, а я через минуту был уже в особняке штаб-квартиры, где с отъездом Киото Мавари вновь началось буйное веселье.

* * *

...Чтобы трупы не валялись посреди дороги и не привлекли внимания случайного прохожего, Каблуков решил оттащить их к ближайшей стене здания. Куда бы их сразу же спрятать, в голову не приходило. Ни подвала тебе подходящего с выходом-окном на улицу, ни мусорного контейнера, ни даже хоть какой-нибудь захудалой подворотни.

Зато «нарисовался» полицейский.

Фигура его неожиданно появилась в переулке со стороны большой освещенной улицы.

– Эй! – прокричал страж порядка. – Ты кто такой? Что это ты там делаешь?

Внутри у Каблукова все похолодело. От полицейского его отделяли какие-то двадцать с небольшим метров.

– Все в порядке, господин полицейский! – нашел в себе Николай силы, чтобы ответить. – Не стоит волноваться. Мои друзья сегодня здорово напились.

– Друзья, говоришь? – Постовой направился прямиком к Каблукову, по-прежнему находящемуся рядом с трупами. – А ну, покажи мне свои документы!

– Без проблем... – хриплым голосом проговорил Николай и как будто бы полез в карман за паспортом.

– Стоять! – заорал вдруг полицейский и выхватил из кобуры пистолет. – Они же мертвы!

Вот глазастая сволочь! Он сумел разглядеть в темноте то, чего Каблуков больше всего и боялся.

– Ложись на землю!!! – гаркнул полицейский. – Руки за голову и – не шевелись!!!

Чем карается убийство в Харбине, читатель уже знает. Знал об этом и Каблуков.

Исходя из этого, он даже не подумал выполнять озвученные команды. Наоборот, резко повернулся к служивому лицом и сделал шаг вперед.

Нет, убивать служителя закона у Николая Каблукова в планах не было. Насильственная смерть полицейского подняла бы в ружье все силы правопорядка, имеющиеся в Харбине. Но и сдаваться он не собирался.

В тот момент, когда офицер полиции хотел выстрелить, разведчик перехватил его руку с пистолетом и резко отвел в сторону. Прозвучал выстрел. Пуля с визгом ударилась о бетонную стену дома. А рука стража правопорядка уже была заломлена в запястье. Пистолет упал на мостовую. Каблуков нанес противнику три сильнейших удара коленом в область живота. Сраженный полицейский рухнул на мостовую, и Николай готов был уже мысленно благодарить Бога за спасение. Но тут со стороны освещенной большой улицы неожиданно въехал фургон, из которого выбежали еще четверо мужчин в униформах и с оружием. Без предупреждения они стали стрелять по Каблукову. Не раздумывая, он кинулся бежать в противоположном направлении.

Справа и слева у самой головы свистели пули...

* * *

Я не знал, по какой причине полковник Киото Мавари так спешно оставил сборище членов БРЭМ. Но, посетив этот дом, почерпнул еще одну полезную для себя информацию: под личиной Бюро по делам русской эмиграции скрывается хорошо организованная и достаточно многочисленная общность русских фашистов. И финансирует эту свору японская разведка «Токуму кикан».

Оставив Каблукова разбираться с трупами Ложечникова и человека-самовара, я вернулся в особняк и как ни в чем не бывало принялся попивать из фужера шампанское, между делом знакомясь с обитателями штаб-квартиры.

Расчет мой был таков: либо я успею передать всю эту информацию в Центр посредством радиосеанса, либо доложу обо всем своему руководству, уже будучи в Москве. Второй вариант виделся мне наиболее реальным, потому что со дня на день я планировал осуществить операцию по похищению Киото Мавари. Выйти на связь по рации я мог просто не успеть.

А полковник вернулся сюда уже ближе к полуночи. Хмурый, чернее тучи, неразговорчивый и порывистый в движениях.

– Господин Кегельбаум, – обратился он ко мне, как только вошел. – Простите, что вынужден был оставить вас здесь. Но теперь попрощайтесь, нам пора ехать.

Уже в машине я спросил его, что произошло, отчего на нем лица нет.

Киото Мавари не стал ничего скрывать:

– Трудно стало работать на советской территории. При всей своей высокой профессиональной подготовленности, наши разведгруппы попадают в руки чекистов одна за другой. Вот и сегодня ночью в районе Благовещенска ликвидирован еще один заброшенный нами отряд. Истребители «Смерш» как будто ждали их в районе приземления. Накрыли всех одной автоматной атакой. Мой брат даже не успел сделать себе харакири... – Киото Мавари надолго замолчал.

– Извините, – прервал я затянувшуюся паузу. – В группе, ликвидированной под Благовещенском, был ваш брат? – Я постарался вложить в интонацию как можно больше искреннего сожаления и сочувствия.

– Да, мой младший брат командовал этим отрядом. Он был лучшим из самураев. И хотел умереть достойно. Но не успел сделать ни одного выстрела...

– А что вы сказали о харакири?

– Это – меч самурая. – Киото Мавари указал на клинок, который всегда висел на поясе его портупеи вместе с пистолетом в кобуре. – Совершить в решающий момент священный обряд харакири – убить этим мечом самого себя, значит, попасть на небо в облике святого и бессмертого воина, отдавшего жизнь за процветание великой Японии. Харакири дает возможность воину обрести вечную жизнь после смерти и священную память всего японского народа. А брат погиб не в бою и не от собственного меча. Его просто пристрелили, как собаку. Он не должен был допустить такого позора. Но я буду мстить. Я буду мстить русским до последнего дыхания.

ПО КОДЕКСУ ЧЕСТИ САМУРАЯ:

Обряд харакири появился в среде сословия японских воинов в период становления и развития феодализма в Японии.

Самураи или другие представители высших слоев общества совершали самоубийство методом харакири в случае оскорбления их чести, совершения недостойного поступка, позорящего имя воина, смерти своего хозяина (сюзерена). Позднее харакири присуждалось как приговор суда – в наказание за совершенное преступление.

Харакири являлось привилегией самураев, гордившихся тем, что они могут свободно распоряжаться своей жизнью, подчеркивая совершением этого обряда силу духа и самообладание, презрение к смерти.

Резание живота требовало от воина большого мужества и выдержки, так как брюшная полость – одна из наиболее чувствительных областей человеческого тела, средоточие многих нервных окончаний. Именно поэтому самураи, считавшие себя самыми смелыми, хладнокровными и волевыми людьми Японии, отдавали предпочтение этому мучительному виду смерти.

В дословном переводе «харакири» означает «резать живот». Однако здесь же имеется и некий скрытый смысл. Если рассмотреть составное бинома «харакири» – понятие «хара», то можно увидеть, что ему в японском языке соответствуют слова «живот», «душа», «намерения», «тайные мысли» – с тем же самым написанием иероглифа.

Согласно философии буддизма, в качестве основного, центрального жизненного пункта человека и, тем самым, местопребыванием жизни рассматривается не сердце, а брюшная полость. В соответствии с этим японцы выдвинули тезис, что жизненные силы, расположенные в животе и занимающие как бы серединное положение по отношению ко всему телу, способствуют более уравновешенному и гармоничному развитию азиата, нежели европейца, основным жизненным центром которого является сердце.

Таким образом, живот японцы рассматривают как внутренний источник эмоционального существования, и вскрытие его путем харакири означает как бы открытие своих сокровенных и истинных намерений, служит доказательством чистоты помыслов и устремлений.

По понятиям самураев, харакири является крайним оправданием себя перед небом и людьми. Харакири – более символика духовного свойства, чем просто самоубийство.

– Я никогда не пойму самурая, готового идти на бессмысленное самоубийство, – произнес я тихо.

– А самураю бессмысленной представляется жизнь, если он не смог, как велит долг воина, убить своего врага, – ответил мне Киото Мавари. – Харакири – спасение от людского позора и божьего гнева. Хотя вам, русским, этого действительно никогда не понять.

– А камикадзе? – задал я новый вопрос. – Это что – тоже великая идея и особое предназначение?

Не знаю, прав ли я был в тот момент, явно досаждая полковнику Киото Мавари своими вопросами.

– Камикадзе – избранные. Но это только летчики. Несведущие люди всех японских добровольцев-смертников без разбору называют одним именем – камикадзе. Хотя у нас есть еще тейсинтай, кайтен и другие, – ответил полковник. – Следуя средневековому кодексу поведения японских самураев «Бусидо», эти люди, презирая смерть, жертвуют собой ради одной лишь миссии – уничтожения превосходящих сил противника.

Я знал, что на Маньчжурском направлении собраны значительные силы японских смертников, готовых действовать в небе, на земле и на море. И ясно представлял себе, с какой смертоносной силой придется столкнуться в недалеком будущем войскам маршала Василевского, готовящимся к наступлению по ту сторону границы.

ИНФОРМАЦИЯ К РАЗМЫШЛЕНИЮ:

Во время Второй мировой войны в японских войсках начали впервые формироваться отряды добровольцев-смертников – «тейсинтай», которые применялись в трех стихиях: земля, вода, воздух.

Непременным атрибутом «тейсинтай» (в тех отрядах, где это было возможно) был самурайский меч. Смертники надевали на голову белые повязки, точно такие, какими обвязывались перед боем самураи сотни лет назад.

Один из приемов «тейсинтай» на воде выглядел следующим образом. Смертники одевались в водолазные костюмы, после чего им давались специальные шесты, на конце которых были укреплены заряды взрывчатого вещества. Ожидая в воде неприятельские корабли, «тейсинтай» становились на их пути и проводили свою диверсию.

Еще один пример – «Кайтен». Это такая управляемая смертником торпеда, которая устанавливалась на подводных лодках. Как только субмарина обнаруживала корабль противника, смертник занимал специальное место на «Кайтен», после чего торпеда выпускалась. Пройдя определенное расстояние, водитель «Кайтен» всплывал и направлял ее на вражеское судно.

Но самыми страшными, как в физическом, так и в психологическом плане, для антигитлеровской коалиции, а особенно американцев, были летчики-смертники, более известные как «камикадзе». Главными их целями были не только корабли, но и тяжелые бомбардировщики, танки и железнодорожные мосты на суше.

Именно «камикадзе» нанесли самый большой урон своему противнику. Согласно статистике, больше 50% потерь американцев на финальном этапе войны на Тихом океане были обусловлены именно действиями «камикадзе».

Любопытна история происхождения самого термина «камикадзе». Дело в том, что в XII веке Япония оказалась перед угрозой нашествия монголов. Хан Хубилай, внук небезызвестного Чингисхана, дважды (сначала в 1274, а потом и в 1281 году) подходил со своим флотом к берегам Японии, пытаясь покорить ее.

Однако оба похода постигла неудача: сильнейшие тайфуны, бушевавшие во время высадки захватчиков на японские острова, уничтожили большинство кораблей. Эти тайфуны и были названы «камикадзе», что в переводе с японского означает «божественный ветер». Японцы считали, что это сам Бог помог их народу.

Основателем же первых отрядов «камикадзе» и их идейным вдохновителем был японский адмирал Ониси Такидзиро, который осенью 1944 года на Филиппинах сформировал первую эскадрилью смертников.

Поначалу «камикадзе» управляли обычными самолетами, с подвешенной 250-килограммовой бомбой. Чуть позже, с целью экономии, стали выпускать специальные самолеты-торпеды одноразового действия с вмонтированным в носовую часть фюзеляжа зарядом. Назывались они «Ока», что в переводе означает «Цветок вишни». Не зная официального японского названия этого самолета, союзники прозвали его «Бака» («дурак»). «Ока», имевший небольшой реактивный двигатель и ограниченный радиус действия, пилотируемый «камикадзе», достигал цели, пикировал и врезался в нее.

Главный минус данного типа самолетов заключался в том, что «Ока» должны были транспортироваться в предполагаемый район действия при помощи модифицированных бомбардировщиков, которые были легкой мишенью для истребителей противника. Многие «камикадзе» были вынуждены произвести отделение от самолета-носителя слишком далеко от цели. Таким образом, было потеряно большое количество самолетов «Ока» и вместе с ними «камикадзе», так и не достигших цели.

Подсчитано, что во время боевых действий на Тихом океане с 1944 года по 1945 год погибло свыше 2,5 тысячи летчиков-смертников. Все они были героями и являлись примерами для других. Везде красовались их портреты, более того – их причисляли к лику святых покровителей Японии.

– Но скажите, полковник, – снова заговорил я, – разве все посмертные почести, предлагаемые смертникам или самураям, совершившим харакири, могут сравниться с самой жизнью?

– Для японцев – еще как! И не задавайте мне больше глупых вопросов.

Я и не собирался. К тому же автомобиль Киото Мавари уже подъехал к дому, в котором располагалась японская военная миссия.

Не успели мы выйти из машины, как навстречу выбежал капитан Фудзинаи.

– Господин полковник! – обратился он к Киото Мавари. – Срочное сообщение из полицейского управления.

– Что за сообщение – говорите.

– Неподалеку от штаб-квартиры БРЭМ убиты граф Ложечников и исполнительный секретарь Бюро – штабс-капитан Гриневич.

– Как убиты?! – не сразу понял суть доклада Киото Мавари.

– Их зарезали в ближайшем темном переулке. Полиция идет по следу убийцы. По предварительным данным, он – русский.

У меня внутри все перевернулось. Значит, коротышка-пузан был исполнительным секретарем БРЭМа. И фамилия его – Гриневич. Звание «штабс-капитан», понятное дело, сохранено в память о службе в царской армии еще до революции. Но не это было сейчас главным. Кровь бешено пульсировала в моих висках, ладони покрылись от волнения влагой, потому что Коля Каблуков, как было понятно из доклада Фудзинаи, не сумел избавиться от трупов и, более того, «засветился» перед харбинской полицией.

Час от часу не легче.

– А ну-ка идите за мной, Кегельбаум, – жестко приказал Киото Мавари. И в этой его жесткости я почувствовал явную угрозу. – Капитан! – повернулся он к своему помощнику, и тот немедленно выхватил из кобуры пистолет, приведя его в боевое положение.

Киото Мавари первым вошел в здание ЯВМ. Я – за ним. Капитан Фудзинаи последовал за мной, держа меня на прицеле. Он в любую секунду был готов нажать на спусковой крючок.

Похоже, меня арестовали.

Пройдя по длинному коридору, Киото Мавари направился не к своему кабинету, а в противоположную сторону.

Открыл тяжелую железную дверь, отступил левее.

Капитан Фудзинаи сильнейшим толчком в спину швырнул меня в тюремную камеру.

Дверь с грохотом захлопнулась. По ту ее сторону дважды лязгнул металлом несокрушимый замок.

Не удержавшись от толчка на ногах, я кубарем полетел на холодный и влажный бетонный пол.

«Вот и закончилась твоя разведка, полковник Журбин», – подумалось мне.

* * *

В июле 1945 года, находясь в темной тюремной камере, оборудованной непосредственно в здании японской военной миссии в Харбине, советский военный контрразведчик Иван Степанович Журбин не мог знать о том, какие события происходили на советско-китайской границе.

Между тем весь Дальневосточный фронт в полном составе готов был принять участие в военной кампании Советских Вооруженных Сил по разгрому наиболее мощных группировок японских сухопутных войск в Маньчжурии, на Южном Сахалине и Курильских островах. Эта кампания составит четвертый, заключительный период Великой Отечественной войны и включит в себя Маньчжурскую стратегическую наступательную операцию, Южно-Сахалинскую наступательную и Курильскую десантную операции.

Капитуляция фашистской Германии значительно ухудшила военно-политическое положение восточного партнера Гитлера по оси Берлин–Рим–Токио. Кроме того, Англия и Соединенные Штаты Америки имели весомое превосходство на море и вышли на ближние подступы к Японии.

Невзирая на это, Япония не собиралась без боя складывать оружие и отвергла ультиматум США, Англии и Китая о капитуляции, предъявленный в июле 1945 года на Потсдамской конференции, надеясь на сильнейшую сухопутную армию и мощную военную промышленность.

К лету 1945 года в распоряжении японского правительства имелись огромные вооруженные силы, которые насчитывали более семи миллионов человек личного состава, около одиннадцати тысяч самолетов, сто девять боевых кораблей основных классов, разнообразный современный арсенал других видов оружия и боевой техники. На японскую военную машину работали производственные мощности Северо-Восточного Китая и Кореи.

С нашей стороны подготовка к военной кампании на Дальнем Востоке проводилась по единому плану Верховного Главнокомандования и включала комплекс дипломатических, военно-технических и стратегических мероприятий.

Основные мероприятия по созданию нового – Дальневосточного – фронта были реализованы в феврале–июле 1945 года.

Активные переброски войск и материально-технических средств в Приморье, Приамурье и Забайкалье были осуществлены уже в мае–июле.

В период стратегического развертывания на Дальнем Востоке были собраны два фронтовых и четыре армейских управления, пятнадцать управлений стрелковых, артиллерийских, танкового и механизированных корпусов, тридцать шесть стрелковых, артиллерийских и зенитно-артиллерийских дивизий, пятьдесят три бригады основных родов войск и два укрепленных района, что составило в общей сложности тридцать расчетных дивизий.

Но какие же силы готовы были вступить в войну с частями и соединениями Красной Армии?

ИСТОРИЧЕСКАЯ СПРАВКА:

Группировка японских и марионеточных войск состояла из трех фронтов, отдельной армии, части сил

5-го фронта, а также нескольких отдельных фронтов, военной речной флотилии и воздушной армии.

Основой группировки была Квантунская армия, имевшая в своем составе 24 пехотные дивизии, 9 смешанных бригад, 2 танковые бригады и бригаду смертников.

Японские войска наиболее мощного 1-го фронта были развернуты вдоль границ Советского Приморья (10 пехотных дивизий и отдельная смешанная бригада) и располагались на трех оборонительных рубежах: вдоль границы; в междуречье Мулинхэ-Муданьцзян; вдоль реки Муданьцзян.

Первый рубеж обороны составили укрепленные районы вдоль границы. 3-й фронт (9 пехотных дивизий, 2 смешанные и 2 танковые бригады) был сосредоточен в центре Маньчжурии – в Улан-Хото, Шеньяне и Чанчуне.

4-я отдельная армия (3 пехотные дивизии, 4 смешанные бригады, части усиления и обеспечения) занимали укрепленные районы в треугольнике Хайлар–Харбин–Хэйхэ.

Две пехотные дивизии, смешанная бригада и другие армейские части дислоцировались в Северной Корее.

Таким образом, весь дальневосточный плацдарм походил сейчас на гигантскую пороховую бочку, ежесекундно готовую взорваться.

Забегая вперед, скажем, что Квантунская армия будет разгромлена советскими войсками. И этот разгром – крупнейшее поражение Японии во Второй мировой войне.

При разгроме и капитуляции противника советские войска пленят 640 тысяч солдат и офицеров, захватят около 700 танков, более 1,8 тысячи орудий, 860 самолетов и много другой боевой техники.

Будет освобождена от оккупантов территория площадью более 1,3 миллиона квадратных километров с населением свыше 40 миллионов человек.

Войска Забайкальского, 1-го и 2-го Дальневосточных фронтов, силы Тихоокеанского флота и Амурской военной флотилии потеряют убитыми и умершими от ран 12 тысяч солдат и офицеров, 24,4 тысячи – ранеными и контужеными.

В ходе боев выйдут из строя 78 танков, 232 орудия и миномета и 62 боевых самолета.

Совместными усилиями Вооруженных Сил СССР, США, Англии и других стран антигитлеровской коалиции будет ликвидирован последний очаг агрессии.

2 сентября 1945 года в Токийской бухте на линкоре «Миссури» будет подписан Акт о безоговорочной капитуляции Японии.

Но все это случится позже. А пока что армейские соединения на границе стояли друг против друга, с обеих сторон готовые к молниеносному броску.

* * *

Замок на тяжелой металлической двери камеры гулко лязгнул, и в светлом проеме появилась фигура капитана Фудзинаи.

Я по-прежнему лежал на голом бетонном полу.

– Кегельбаум! – приказным тоном произнес Фудзинаи. – Встать! На выход!

Меня привели в кабинет полковника Киото Мавари.

– Я ничего не понимаю, господин полковник! – проговорил я с вызовом в голосе. – По какому праву меня арестовали и бросили в застенки?!

– Война, господин Кегельбаум, – спокойно ответил мне полковник. – А у войны свои законы.

– Это не ответ.

– Не берите на себя слишком много, – осадил меня Киото Мавари. – Мне ничего не стоит расстрелять вас без объяснения причин. Однако я не намерен торопиться. Скажите для начала, вы вчера вечером разговаривали о чем-нибудь с графом Ложечником и штабс-капитаном Гриневичем?

– С Ложечниковым – ровно ни о чем. А кто такой Гриневич, я вообще не знаю. Мы не знакомы. И знакомы никогда не были.

– Вот как?! – удивился Киото Мавари. – Довольно странно.

– Чего же здесь странного?

– Странно то, что вы не знакомы с Гриневичем. Этот человек тоже из Одессы...

– Одесса – большой город. И не все люди, проживающие или проживавшие там, знают друг друга.

– Не морочьте мне голову, Кегельбаум! – крикнул Киото Мавари. – Мы произвели необходимые проверки, в результате которых выяснилось, что Гриневич был хорошо знаком с вашим покойным отцом. Может быть, его вчера убили не случайно?

– Может быть... – устало и, насколько мог, безразлично, ответил я. – Мне-то какое до всего этого дело?

– Вы не поверите, но у нас в гостях человек, который может внести ясность в существо всех заданных мною вопросов. В том числе он прольет свет на гибель Ложечникова и Гриневича. Вы не будете против, если я приглашу этого человека сюда?

Значит, полиция или сотрудники японской разведки захватили в плен Николая Каблукова. Неужели Коля сломался на допросе?! Что ж, железных людей не бывает. И под пытками большинство из смертных начинают давать показания.

Обидным было лишь то, что мы так и не довели до конца начатое дело.

– Вы меня слышите, Кегельбаум? – вновь подал голос Киото Мавари. – Я сейчас приглашу сюда человека, который без труда опознает вас.

– Приглашайте. Мне все равно, – выдохнул я и приготовился к скорой смерти.

Полковник ударил ладонью по настольному звонку.

Дверь кабинета отворилась, и капитан Фудзинаи пропустил вперед... харбинского полицейского, которого я никогда раньше не видел. При чем тут он?

– Вы узнаете этого господина? – спросил Киото Мавари у полицейского. – Это он был возле трупов, обнаруженных вчера вечером вами на улице?

У меня отлегло от сердца. Значит, Колю они не взяли. Этот факт значительно облегчал мою ситуацию.

– Нет, господин полковник, – полицейский отрицательно покачал головой. – Убийца – другой человек. Высокий, с коротко стриженными черными волосами. Этого господина я не знаю.

– Хорошо, – отмахнулся Киото Мавари. – Вы свободны.

Я облегченно вздохнул.

– Скажите, господин Кегельбаум, – посмотрел на меня полковник, когда полицейский вместе с капитаном Фудзинаи вышел из кабинета, – зачем вы вчера вечером выходили из особняка БРЭМа на улицу?

Понятно, он успел допросить вчерашних тараканьих погонщиков и выяснил, что я покидал дом.

– Ничего особенного, господин полковник, – ответил я. – Мне захотелось подышать свежим воздухом. В помещении было очень накурено.

– Как долго вы отсутствовали и где прогуливались все это время?

– Минуты две, не более, я постоял прямо перед входом и никуда не отлучался, – уверенно соврал я.

– А Ложечников и Гриневич? Они выходили из особняка?

– Да, господин Ложечников вышел на улицу с каким-то мужчиной невысокого роста, и они сразу же побежали вслед за вашей отъезжающей машиной. Они хотели, вероятно, догнать вас и сообщить нечто важное.

– Что они хотели мне сообщить? – Киото Мавари подошел ко мне вплотную и заглянул в глаза.

– Мне это неизвестно, честное слово, – ответил я. – Знаю только, что они побежали вдоль по улице... Но потом я вернулся в дом и больше не выходил. И этих двоих тоже не видел. Подумал даже, что они просто разошлись по домам.

– Не надо думать, Кегельбаум! – закричал Киото Мавари. – Отвечайте, в какую сторону от дома они пошли?!

– Влево... да, кажется влево, – произнес я, как будто вспоминая. – Как раз в ту сторону, куда поехала ваша машина, господин полковник.

В очередной раз мне повезло. У Киото Мавари не было никаких оснований подозревать меня в причастности к совершенному вчера вечером двойному убийству.

– Вот, – он протянул мне исписанный лист бумаги. – Посмотрите сюда. Это протокол допроса официанта. Он утверждает, что вы действительно отсутствовали две или три минуты. Считайте, что этот человек спас вам жизнь.

Вот ведь как!

В самом деле, я, как только вернулся в особняк, перехватил у входа официанта с подносом, на котором стояли бокалы, наполненные шампанским.

– Милейший! – недовольно обратился я к нему. – Ты второй раз проходишь мимо, и я даже не успеваю взять у тебя вина!

Вот эта фраза – «второй раз» – спасла меня.

Халдей, видимо, просчитал в мозгах, сколько могло пройти времени с того момента, как я на его глазах вышел из дома, вернулся и пропустил его мимо себя дважды. Скорее всего, в суете и беготне он не считал, два раза или все двадцать два ему пришлось метнуться мимо входных дверей за короткий временной промежуток. Но, поскольку я явился на эту вечеринку в сопровождении самого Киото Мавари, он заочно решил не портить со мной отношения. Во второй раз, так во второй. Кому от этого хуже?

– Вы извините меня, господин Кегельбаум, за вынужденную ночевку в камере, – дружеским тоном заговорил полковник. – Поймите правильно, у нас есть сведения, что Ложечникова и Гриневича убил русский. Вы же находились в это время поблизости. Я должен был провести это расследование и продержать вас под замком. Кроме того, смерть брата... Нервы... Хотя, как ни странно, этих двоих мог прикончить кто-нибудь из подонков БРЭМа. Русские фашиствующие патриоты последнее время совершенно деморализованы.

Я ничего не ответил, но всем своим видом показал крайнее негодование и возмущение неучтивым ко мне отношением полковника.

– Давайте же вернемся к нашим делам, – предложил Киото Мавари. – Сегодня я должен обсудить с вами подробный план вашей переброски на территорию СССР...

* * *

...В тот злосчастный вечер, когда штабс-капитан Гриневич не узнал во мне сына судовладельца Матвея Кегельбаума – своего давнего друга, расстрелянного большевистской ЧК в Одессе – он вместе с графом Ложечниковым был убит Колей Каблуковым.

Но если мне посчастливилось вовремя вернуться в особняк БРЭМа, вместо того чтобы попытаться немедленно скрыться, то Коле повезло значительно меньше.

По темным улицам Харбина его преследовал целый полицейский экипаж.

Очень скоро к этому экипажу присоединились еще несколько, видимо, вызванных по рации на подмогу.

Казалось, полицейские вылезают из всех харбинских щелей, как тараканы, и бегут, семеня тощими лапками, наперегонки – кто первый настигнет преступника и задержит его, чтобы отличиться перед вышестоящим начальством. Вот где были настоящие тараканьи бега!

Николай, уходя от преследователей по улицам, переулкам и подворотням, даже не пытался отстреливаться. На его бедную голову хватало и тех двух трупов, оставленных возле штаб-квартиры БРЭМ. А стражи порядка патронов не жалели – палили из всех стволов. Собственно говоря, при сложившейся ситуации им было без разницы – взять Каблукова живым или уничтожить во время преследования.

Но справедливости ради нужно заметить, что оперативника, прошедшего специальный курс подготовки и к тому же имеющего за плечами богатый опыт службы на государственной границе, задержать или уничтожить не так-то просто.

Используя теневые стороны улиц, молниеносно ныряя в проходные дворы, с ловкостью кошки взбираясь на деревья и перепрыгивая с них на крыши домов, не боясь перескочить с одного дома на другой и затем очутиться уже на противоположной улице, Николай оставался неуязвимым.

Уже гораздо позже, через много месяцев, Коля расскажет мне с улыбкой на лице, как бежал по крыше, а за ним гнались трое полицейских. Деваться ему было некуда и либо нужно было прыгать с пятиэтажного дома вниз, чтобы непременно разбиться, либо, подняв вверх руки, сдаваться. Ни того ни другого варианта разведчик принять не захотел.

Он, неожиданно для самого себя, сиганул ногами вниз в... широкий дымоход. До такого нужно было еще додуматься! Пролетев вниз по закопченной трубе, вывалился в огромную печь на первом этаже, где располагалась какая-то дешевая закусочная. Благо, что в ночное время кухня этой забегаловки не работала, а печь была остывшей, иначе бы мой друг поджарился до розовой хрустящей корочки, как утка «по-пекински».

Таким образом жив он остался, но шороху наделал неимоверного.

Представьте себе кухонных рабочих, оставленных в ночную смену, чтобы произвести заготовку полуфабрикатов на завтрашний рабочий день кафе. Сидят себе люди на табуретах или стоят возле разделочных столов. Чистят рыбу, промывают и замачивают рис, измельчают водоросли для будущих салатов, варят тушки кальмаров... И вдруг из печной трубы доносится оглушительный грохот вперемешку с отборным русским матом. А в следующую секунду из печи вываливается черный, как уголь, черт! Ну, а кем же его было в ту ночь назвать, появившегося перед добрыми людьми в столь поздний час, да к тому же измазанного с ног до головы сажей?

В общем, половина присутствующих откровенно обмочилась, а вторая половина потеряла со страху сознание.

Полицейские, которые бежали за Николаем по крыше, в дымоход прыгать не решились. Рассудив, по-видимому, что их преследуемый разбился в лепешку, они стали медленно спускаться вниз по пожарной лестнице.

А Николай наш был таков.

Вот таким образом и спасся.

Уже на следующий день, прогуливаясь по Харбину, я заметил на одном из столбов уличного освещения две меловые пометки – красного и синего цвета. Это был условный сигнал от Николая Каблукова: ***«Все в порядке. Продолжаем работать»***.

А я и продолжал.

Вчера вечером полковник Киото Мавари сообщил мне, каким образом будет осуществлена моя переброска на сопредельную сторону границы.

Четверо штурмовиков БРЭМа – молодые русские фашисты – первыми начнут преодоление пограничного рубежа в районе советского Приамурья. Они уже сейчас находились неподалеку от китайского города Цицикар и готовились к броску через кордон.

Полковник, инструктируя эту четверку, говорил, что они – наиважнейшие исполнители секретной миссии, могущей кардинальным образом повлиять на весь исход советско-японской войны. Якобы их задача была проникнуть в Уссурийский край и там в одном из назначенных мест встретиться с резидентом японской разведки, который обеспечит их дальнейшее пребывание на территории СССР.

На самом же деле все четверо были обречены по сценарию, который расписал для них сам Киото Мавари. Их задача была всего-навсего пересечь границу чуть левее того места, где буду ее переходить я. И не просто пересечь.

Полковник точно рассчитал, что эти фанатики, мечтающие о националистической России, наделают на границе много шума и, таким образом, отвлекут на себя внимание пограничной охраны. Киото Мавари приказал им в случае обнаружения их перехода советскими пограничниками отстреливаться до последнего патрона и живыми в плен не сдаваться.

Значит, пока четверка будет вести бой с пограничниками, я должен, как говорится, под шумок, перескочить на советскую сторону.

– А этих четверых не жалко? – спросил я полковника. – Все-таки преданные люди, готовые ради идеи русского фашизма идти на смерть...

– Эти преданные люди, – ответил мне Киото Мавари, – уже сегодня, заслышав о приближающихся военных действиях, бегут из Харбина, как травленые тараканы. И потом, почему я должен жалеть людей, уже однажды предавших Родину и покинувших ее пределы? В свое время они не оказали большевикам должного сопротивления, предпочтя позорное бегство. Такие предадут и во второй, и в третий раз.

– Но ведь я тоже бежал из России...

– Нет, вы – это другое дело. Ваши родители погибли от рук большевиков. К тому же вас вывезли из Советской России еще совсем ребенком.

– Хорошо, – сказал я. – Четверо будут вести на границе отвлекающий бой. Но ведь это будет короткий бой, вы понимаете?

– Знаю, что вы хотите сказать, – мгновенно отреагировал на мои слова Киото Мавари. – То, что все четверо будут убиты пограничниками самое большее через пятнадцать минут. Туда им, честно говоря, и дорога. Но этих пятнадцати минут должно хватить для вашего благополучного перехода. Мы все продумали до мелочей.

– Что можно продумать до мелочей, если на советской границе объявлена повышенная боевая готовность? – спросил я. – Пограничники наверняка держат под контролем каждый сантиметр своей территории. А ведь я пойду не налегке!

– Да, – коротко кивнул полковник. – Вы понесете с собой капсулы, содержащие биологическое оружие, с которым уже знакомы. Кроме того, оружие... Ну, настоящими советскими документами вы будете полностью обеспечены, это не проблема. А что касается самого перехода границы, то, кроме отвлекающего вооруженного прорыва, мы предусмотрели еще некоторые меры безопасности.

– Какие же? – На тот момент я вправе был задавать Киото Мавари любые вопросы.

– С нашей стороны будет открыт условный коридор. Я приказал на маршруте вашего движения в приграничной полосе убрать все войска и даже передвижные патрули. Естественно, всего на полчаса – в нужное для нас с вами время. Это для того, чтобы исключить визуальный контакт с кем бы то ни было, пока вы не окажетесь на той стороне. До самой границы я вас буду сопровождать лично. С нами пойдет только капитан Фудзинаи, на всякий случай.

– А дальше?

– Как только вы окажетесь на сопредельной территории, вас примет наш человек и тайными тропами уведет в уссурийскую тайгу.

Наверное, мой взгляд выражал крайнее недоверие.

– Да не беспокойтесь вы! – воскликнул Киото Мавари. – Этот человек – старый охотник, проживший в Уссурийском крае шестьдесят с лишним лет. К тому же японец. Мы ему полностью доверяем. Он сумеет обойти стороной все пограничные секреты и дозоры. В таежной глуши вы должны отлежаться не менее двух дней. А потом...

Потом моя задача была предельно проста – во все водоемы – озера, реки, ручьи, родники и колодцы, встречающиеся на моем пути (а идти я должен был в направлении Благовещенска и Новосибирска) мне следовало разбросать капсулы с бактериями чумы, тифа и холеры.

Думаю теперь, выполни кто-нибудь эту задачу, большая половина армейской группировки маршала Василевского была бы поражена страшной эпидемией. В этом случае Квантунской армии не составило бы никакого труда нанести мощный удар по нашим границам и очень скоро развить стремительное наступление в глубокий тыл советского Дальнего Востока и Сибири.

Наверное, в те минуты я больше всего ненавидел полковника Киото Мавари. Я проклинал его. Да-да, именно проклинал за все его чудовищные замыслы. И проклинал так, как только можно проклинать лютого врага, намеревающегося уничтожить все человечество.

Говорят, что искренние проклятия действуют, пожирая свою жертву, заводя ее в тупик и принуждая к неминуемому самоуничтожению. В зловещую силу проклятия на Руси верили испокон веков. И я тогда верил, что мои проклятия уничтожат Киото Мавари, как страшного зверя, присланного на землю сатаной.

– Достигнете Новосибирска и там на некоторое время осядете, – продолжал инструктировать меня Киото Мавари. – Никаких действий не предпринимайте. Я обеспечу вас паролями и явками, чтобы вы встретились там с нашими агентами, которые помогут вам на месте. Когда японская армия начнет наступление, поверьте, ее никто не сможет остановить. И, как только из Новосибирска начнется массовая эвакуация, вы вместе с другими людьми сможете без особых хлопот переехать за Уральский хребет, в центральные районы СССР.

– С какой целью?

– Устроитесь на работу, скажем, где-нибудь в Поволжье – в Сталинграде, к примеру. Там сейчас нужны рабочие руки. Ляжете на дно. Никакая разведка не потребуется. Мы найдем вас позже, когда вы окончательно легализуетесь на территории Советского Союза...

Вот такие масштабные планы имел относительно моей скромной персоны полковник японской разведки Киото Мавари.

Одного он не знал – что у меня насчет его персоны тоже кое-какие планы имеются. И эти планы куда более реальны и осуществимы. Но забегать вперед не буду.

...Сутками напролет по приказу Киото Мавари я изучал различные карты местности, вдалбливал в свою голову адреса агентов японской разведки в Благовещенске, Уссурийске, Новосибирске и Хабаровске. Кто-то из них был основным, кому-то отводилась роль запасного аэродрома. Но все эти сведения имели для меня лично и... для военной контрразведки «Смерш» колоссальное значение.

С полковником Киото Мавари мы занимались три дня. На два часа ежедневно он отпускал меня в город – развеяться. И за эти трое суток я трижды отправил шифрограммы в Москву, в которых успел сообщить о планах собственной переброски в СССР, о готовящемся применении японцами биологического оружия против армии Василевского, о японских шпионах, работающих в наших городах Сибири и Дальнего Востока. Благодаря этим донесениям, кстати, в 1945–1946 годах вся японская разведывательная сеть, опутавшая сибирский и дальневосточный регионы, действующая в Приморье и распустившая щупальца до самого Уральского хребта, будет благополучно уничтожена территориальными органами государственной безопасности СССР.

Кроме того, мне удалось встретиться и с Борисом Рийзманом, и с Николаем Каблуковым.

Глава 5

ДРАКОН ДЫШИТ В СПИНУ

1945 год, 30 июля. Подмосковье. Военный аэродром «Чкаловский».

Генерал Платонов провожал полковника Ватрушева на Дальний Восток.

– Надеюсь на тебя, Василий Петрович, – говорил генерал, дымя папиросой, невзирая на строгие запреты, прямо у самолета военно-транспортной авиации.

– Все будет в порядке, Алексей Данилович, не сомневайтесь, – отвечал полковник. – Встречу я Ахиллеса на нашей стороне и все сделаю, как надо.

– Главное, прими у него капсулы с отравой. Страшная это штука, полковник, судя по опытам, которые японцы уже провели на китайской территории. И жаль, конечно, что Киото Мавари мы так и не достали... Похищение полковника японской разведки повергло бы всю военную верхушку Квантунской армии в настоящий шок.

– Может, отправить Ахиллесу приказ ликвидировать этого Киото Мавари? – предположил Ватрушев.

– Уже не успеем. Сеансы радиосвязи прекращены. Скоро наступление наших войск на Маньчжурию, Сахалин и

Курилы. Так что упустили мы время, Василий Петрович. И боюсь, что не сносить нам с тобой за это головы. Берия уже высказался на данную тему Абакумову. Виктор Семенович в ярости необычайной. Но – зря я тебе перед заданием обо всем этом говорю. Ты лучше на боевой лад настраивайся.

– А чего мне настраиваться? – бодро произнес полковник Ватрушев. – В самолет – и на Восток!

– Да, еще, – снова заговорил генерал. – Ставлю тебя в известность, что диверсионная группа Отдельной мотострелковой бригады особого назначения уже начала действовать.

– Где они сейчас?

– Да кабы знать... – в голосе генерала прозвучала нескрываемая досада. – Известно только, что десантироваться должны со стороны моря...

– Как думаете, товарищ генерал, удастся им уничтожить биологические лаборатории японцев?

– На этот вопрос тебе сам Господь Бог не ответит. Люди в чужой стране работают, без всякого прикрытия... Тебе приходилось видеть, как проходила на фронте разведка боем?

– Бывало, – сурово ответил Ватрушев. – Как правило, почти все погибали.

– Вот в таких же условиях сейчас действуют и они, – вздохнув, произнес генерал Платонов. – Ладно, хватит сантиментов. Тебе вон уже летчики машут, пора на взлет.

Генерал и полковник обнялись на прощание. Затем Ватрушев поднялся на борт самолета, и кто-то из экипажа закрыл за ним правую боковую дверь.

Взревели моторы. От налетевшего ветра с головы генерала Платонова сорвало фуражку.

Самолет развернулся на бетонке и, ненадолго притормозив, вскоре разогнался и взмыл в небо, взяв курс на Дальний Восток.

* * *

1945 год, 30 июля. Корея. Побережье Японского моря близ города Чхонджин.

...Подводная лодка без опознавательных знаков и какого бы то ни было бортового номера подошла на малых оборотах почти к самому берегу, всплыв лишь на перископную глубину.

Командир отдал приказ «Стоп машины», и вокруг стало совсем тихо. И темно. Даже внутренние фонари освещения горели, что называется, вполглаза.

– Ну, что там, наверху? – обратился к капитан-лейтенанту – командиру субмарины – человек, одетый в легкий водолазный костюм. Таких, как он, на борту было еще четверо.

– Да вроде тихо, – ответил ему капитан-лейтенант.

– Слушай, до сих пор удивляюсь, как это мы пришли сюда и ни на кого не напоролись?!

– Ты прости, шпион, – с некоторой язвительностью ответил подводник, – но, по-моему, удивляться – не твоя профессия. И вообще, не мешай мне сейчас. Вот болтливый какой! – Капитан-лейтенант вновь прильнул глазами к оптике поднятого перископа. Ему нужно было хорошо осмотреться, прежде чем предпринимать дальнейшие действия.

– Понял, – сконфузился водолаз. – Молчу, как селедка в бочке. – И отошел к своим, расположившимся тут же, в центральном отсеке дизельной подводной лодки.

Они действительно пришли к самому побережью Кореи, миновав огромное количество минных заграждений и японских морских патрулей, славившихся своими противолодочными кораблями. Но на груди капитан-лейтенанта сияла Звезда Героя Советского Союза, а такие звезды никому просто так не дают. Можно было предположить, что экипажу подводной лодки уже не раз за время войны приходилось выполнять подобные задания. Но предположения навсегда останутся лишь предположениями, а впереди разведывательно-диверсионную группу Отдельной мотострелковой бригады особого назначения, которой командовал старший лейтенант Алексей Крылов – он-то и досаждал капитан-лейтенанту вопросами – ждала объективная реальность, сопряженная с огромным риском работы на вражеской территории.

Разведгруппе предстояло через Корею единым броском пройти в Маньчжурию, достичь Харбина и там уже выполнить поставленную боевую задачу – взрывами уничтожить объект, значившийся на секретных картах как «Отряд 731».

Крылов и его четверка бойцов считались в бригаде лучшими. Потому и выжили, воюя с 1941 года, потому и были направлены сюда, безо всяких гарантий на выживание.

– Так, мужики, – к диверсантам подошел командир подводной лодки. – Кажется, на берегу все тихо. Готовьтесь к выходу через торпедные аппараты. – И через аппарат внутренней связи обратился к экипажу: – Внимание! Говорит командир! Всем – боевая готовность!

Разведчики еще раз проверили водолазное снаряжение, оружие и специальные мешки, в которые была упакована взрывчатка. Лица их стали серыми и хмурыми, но никто не трясся и уж, конечно, не жалел, что вызвался идти на столь рискованное дело.

– Готовы? – вновь подошел к ним капитан-лейтенант.

– Всегда готовы, – ответил ему Крылов.

– Хорошо. Тогда все – в торпедный отсек. С богом, ребята...

* * *

1945 год, 30 июля. Советско-китайская граница.

Подполковник Ушуров, начальник штаба полка, занявшего позиции на одном из участков дальневосточного рубежа, соприкасающегося с маньчжурской территорией, встретил полковника Ватрушева не то чтобы недружелюбно, но как-то уж больно холодно. Козырнул, представился, проводил в бревенчатую избу, где располагались штабные службы, предложил чаю. Но – ни слова доброго типа «как долетели», ни теплой нотки в голосе. Все сухо, официально, нарочито сдержанно.

Гостей из Москвы на фронте испокон веков недолюбливали. И уж тем более держались настороже с представителями военной контрразведки.

Фронтовые офицеры линейных частей и подразделений либо считали чекистов чистоплюями и бездельниками («не кормили вы вшей в окопах!», «не ходили в атаку на фашистские пулеметы!»), либо боялись и даже ненавидели их, обвиняя в репрессиях.

Что ж, история наша полна нелицеприятных деталей. И в лагеря людей ни за что отправляли, называя врагами народа, и расстреливали без суда и следствия. Только нужно заметить, что органы контрразведки, работавшие в непосредственном контакте с разведывательными службами вражеских государств – на нашей территории или за линией фронта и в глубоком тылу противника – никакого отношения к незаконным арестам и расстрелам, как правило, не имели. А жизнью своей офицеры «Смерша» рисковали порой не меньше, чем пехотный командир взвода, поднимающий красноармейцев в контратаку и штурмующий пулеметные точки противника.

– С какой целью к нам из Москвы пожаловали, не спрашиваю, – с видимым безразличием проговорил подполковник Ушуров. – Секрет, наверное, государственная тайна, как у вас говорят...

– Вы совершенно правы, товарищ подполковник, – сдерживая неуместную улыбку, ответил ему Ватрушев. – Цель моего задания касается только меня. Но от вас мне потребуется некоторая помощь.

– А начальник особого отдела полка помочь не сможет? Вы ведь, кажется, коллеги? – Ушурову явно не хотелось иметь дело с контрразведкой «Смерш».

– Майор Гаврилов? – назвал Ватрушев звание и фамилию особиста. – Он, безусловно, будет мне помогать. Но что касается вопроса управления подразделениями полка...

– А вы прилетели сюда, чтобы управлять подразделениями полка?! – не сдержавшись, вспылил начальник штаба. – Я на фронте с июня сорок первого года! Но что-то вас, товарищ полковник, на передовой не видел. И уверен, никто из боевых офицеров не видел вас там! А сегодня, когда война окончена, вы явились сюда и заявляете...

– Ты успокойся, фронтовик, – миролюбиво проговорил полковник Ватрушев. – Ничего я не собираюсь заявлять. И потом, война окончена там, на Западе. А здесь, на Востоке, она только лишь начинается. Ты очень скоро в этом убедишься. Знаешь что, нарой где-нибудь водки, давай выпьем по-человечески и поговорим. Я с собой из Москвы сала привез...

Своим невозмутимым тоном Ватрушев в один момент охладил пыл Ушурова. Полковник не хотел с ним ссориться ни при каких обстоятельствах. Потому что заочно уважал его и ценил его храбрость.

Ватрушеву многое было известно о начальнике штаба полка.

Ушуров в сорок первом году начал воевать младшим лейтенантом. И теперь, в сорок пятом, заслуженно носил на плечах погоны подполковника. Получил два тяжелых и три легких ранения. Воевал на Курской дуге, под Сталинградом. Освобождал Киев, Варшаву, Будапешт. Носило его по разным фронтам от ранения к ранению. Награжден был десятком медалей и орденов. А вся семья его – престарелые мать и отец, жена и трое детишек были расстреляны гитлеровцами на Западной Украине, во Львове, оставленном частями Красной Армии в первые дни войны. Они не успели эвакуироваться, а кто-то из местных предателей-полицаев сообщил в гестапо, что Ушуров, отступивший с войсками, командир Красной Армии...

Нет, не хотел полковник Ватрушев давить на начальника штаба своим столичным авторитетом и причастностью к контрразведке «Смерш». Он стремился к тому, чтобы наладить с ним нормальные человеческие отношения.

– Знаешь, начштаба, – снова заговорил контрразведчик, подняв алюминиевую кружку, наполненную разведенным спиртом. – В атаку я все-таки ходил. Тогда, под

Перемышлем, под фашистскими снарядами погиб командир роты, мой друг Саша Кротов. И мне пришлось поднимать пехотную роту. Посмотри-ка сюда... – Ватрушев расстегнул пуговицы своего мундира.

И Ушуров увидел на его груди сизые круглые впадины – три штуки – следы от пулевых ранений. Такие дырки получают, лишь находясь лицом к лицу с противником.

– Так что давай не будем судить о том, чего не знаем. А лучше выпьем за тех, кто не дожил до Дня Победы.

Не говоря больше ни слова, они залпом опустошили кружки и принялись закусывать салом и свежевыпеченным ржаным хлебом, который денщик Ушурова только что притащил с дивизионной пекарни.

– А вопрос-то ко мне какой? – заметно подобрев, спросил подполковник Ушуров. – Чем помочь могу?

– Посмотри сюда. – Ватрушев разложил на столе карту пограничного района.

– Да что ты мне ее показываешь?! – воскликнул начальник штаба. – Я всю эту местность на брюхе исползал! Каждый куст, каждый камень знаю на ощупь!

– Нет, ты все же посмотри, – настоял на своем полковник Ватрушев. – Вот на этом участке надо будет, когда я скажу, убрать все войска до последнего солдата. Мне нужен «мертвый», свободный от людей коридор, шириной не менее одного километра от самой границы и – в глубь нашей территории километров на шесть.

– Вот ты даешь! – Ушуров чуть не подавился куском хлеба, которым закусывал. – С ума сошел, что ли?! Не сегодня, так завтра наступление начнется, а ты меня просишь, чтобы я тебе войска с рубежа убрал?! Нет, дорогой ты мой товарищ, так дело не пойдет. Под трибунал меня подвести хочешь?! Да был бы здесь командир полка...

– Командир полка в ставке маршала Василевского. Я это знаю. И будет там еще три дня. А пока его нет, ты исполняешь его обязанности, так?

– Ну, так.

– Тогда читай. – Ватрушев протянул Ушурову бумагу. – Надоел ты мне хуже горькой редьки.

– ***...Оказывать полковнику ГУКР «Смерш» В. П. Ватрушеву всяческое содействие...*** – вслух читал подполковник Ушуров. – ***...Командному составу воинских частей и соединений группировки маршала Василевского приказываю строго и в точности исполнять все распоряжения В. П. Ватрушева, не требуя объяснения причин... Верховный Главнокомандующий... генералиссимус И. В. Сталин...***

Ватрушев закурил и отошел к окну, не мешая начальнику штаба изучать правительственный документ.

– Сам... Сталин?! – изумленно проговорил Ушуров. – А что же ты мне сразу эту бумагу не показал?

– Да не хотел тут перед фронтовиком бумагами размахивать, – ответил Ватрушев. – Сам должен понимать: раз из Москвы, из Главного управления «Смерш» к тебе прилетели, значит так надо! Давай приглашай сюда начальника особого отдела, обсудим все детали...

* * *

1945 год, 30 июля. Китай. Маньчжурия. Харбин.

Сегодня я получил от полковника Киото Мавари советские документы, из которых следовало, что я – Иванов Сергей Михайлович, инженер-судоремонтник, член

ВКП(б) – Всероссийской Коммунистической партии большевиков – с 1929 года, лейтенант запаса, переехавший в Новосибирск из Свердловска. В Свердловске проживал с 1944 года, куда был доставлен армейским санитарным поездом с фронта после тяжелой контузии. Награжден орденом Красной Звезды и медалями – «За отвагу» и «За боевые заслуги». К орденам и медалям прилагались наградные книжки.

Кроме того, Киото Мавари долго – на протяжении четырех часов – инструктировал меня, как я должен себя вести, оказавшись на территории СССР.

Затем капитан Фудзинаи вручил мне металлический контейнер, по виду напоминающий простой термос.

– Здесь – бактерии в капсулах, – объяснил он. – Будьте предельно осторожны, капсулы легко растворяются в воде. Но в сухой среде они безопасны.

– Давайте еще раз на карте пройдемся по вашему будущему маршруту, – говорил Киото Мавари. – Вот здесь, – он ткнул карандашом в точку на топографическом изображении местности, – вы пересечете границу. До этого места мы дойдем втроем: вы, я и капитан Фудзинаи. Можете ни за что не переживать. Слева от вас завяжется бой с пограничниками – это «брэмовские» боевики отвлекут их на себя. Ваша задача – быстро пересечь пограничную полосу и углубиться в этот район. Видите? Здесь расстояние не более полутора километров. И тут же, вот в этом лесном массиве, нужно выйти на просеку линии электропередачи. Обратите внимание на овраг, он начинается с запада. Здесь уже оборудована ниша, в которой вы можете спрятаться. Там вас и найдет наш человек – проводник. Вам все понятно?

Я кивнул.

– В таком случае завтра ночью мы с вами выезжаем в приграничную зону...

Всю эту информацию я должен был срочно передать Николаю Каблукову.

Но как?!

– Скажите, полковник, – обратился я к Киото Мавари, – могу я перед дорогой попрощаться с братом?

– Нет, – жестко ответил полковник, и у меня внутри все оборвалось. – Никаких прощаний.

– Но вы не можете поступить со мной так бесчеловечно! – воскликнул я. – Мне предстоит опасная работа, и никто не гарантирует моего возвращения обратно. Неужели же я не имею права увидеться хоть на минуту с единственным родным человеком на этой земле?!

– О! Какие же вы, русские, сентиментальные! – ответил мне Киото Мавари. – Ладно, уговорили. С братом вы повидаетесь. Но только в моем присутствии. И – ни малейшего намека на предстоящий переход границы. Обставите все как обыкновенную очередную встречу. На все про все – полчаса. Мы поужинаем, пожалуй, в ресторане вашего брата. Но если вы осмелитесь хоть взглядом, хоть звуком дать ему понять о своей переброске в СССР, будете расстреляны мною лично на месте. Я понятно излагаю?

– Куда уж понятнее...

Понятия я не имел о другом. Не знал, что происходило в эти дни на советско-китайской границе. Само собой, даже не догадывался тогда, что всего через девять дней на Дальнем Востоке начнется война с Японией. Но ломал голову над тем, как восприняли мои последние сообщения в Москве. Поверили ли на Лубянке в существование

«Отряда 731»? А если поверили, то какие меры предприняли для того, чтобы вся эта биологическая зараза была уничтожена?

Тогда в июле 1945 года мне и в голову не могло прийти, что Москва немедленно отреагировала на мои сообщения и морем высадила небольшой отряд водолазов, готовый уничтожить эти поганые биологические лаборатории.

* * *

1945 год, 30 июля. Советско-китайская граница.

Войска приводились в состояние повышенной боевой готовности.

В ставке маршала Василевского генералы не разгибали спин над боевыми картами стратегического и тактического характера.

На подготовленных передовых позициях танкисты в очередной раз прогревали и проверяли двигатели боевых машин, до отказа забивали снарядные отсеки танков боеприпасами.

Пехота откровенно мандражировала перед наступательной операцией. Пехота – царица полей, говорят? Может быть, оно и так. Но все эти солдатики, половина из которых прошла войну до Берлина, больше всего теперь боялись умереть. Потому что Гитлер был разбит. И, казалось, что любая смерть теперь будет глупой и неоправданной.

Политруки переходили от подразделения к подразделению, бодро и красноречиво разглагольствуя о воинском долге и верности Присяге. Так, считалось, они поднимали боевой дух армии.

Командиры втихаря матерились на политруков, обзывая их балаболами.

Солдаты чистили оружие, хорошенько наедались перловой кашей с мясом и попивали из фляжек спирт, чтобы унять нервную дрожь, всегда присутствующую перед началом военных действий. А начальники медсанбатов запасались бинтами, ватой и зеленкой, прикидывая по опыту, сколько в ближайшее время будет раненых.

1945 год, 30 июля. Штаб Тихоокеанского военно-морского флота.

Командующий флотом адмирал Юмашев собрал у себя весь командный состав.

Здесь готовилась Курильская десантная операция, которая должна была день в день, час в час совпасть с началом боевых действий на сухопутной границе.

В ночь с 8 на 9 августа 1945 года СССР, а с ним, естественно, и Тихоокеанский военно-морской флот вступят в войну с Японией. Корабли, авиация, береговые части, морская пехота флота к началу боевых действий были приведены в состояние полной готовности к предстоящим сражениям на море, в воздухе и на суше.

ИСТОРИЧЕСКАЯ СПРАВКА:

Флот к началу войны имел 2 крейсера, 1 лидер, 12 эсминцев, 19 сторожевых кораблей, 10 минных заградителей, 52 тральщика, 49 охотников за подводными лодками, 204 торпедных катера, 78 подводных лодок, 1618 (из них 1382 боевых) самолетов.

Амурская флотилия, входившая в состав Тихоокеанского флота, перед началом войны располагала 8 мони-

торами, 11 канонерскими лодками, 52 бронекатерами, 12 тральщиками и некоторыми другими боевыми кораблями.

Советский Союз вступил в войну с Японией согласно решению Крымской конференции глав правительств СССР, США и Великобритании, проходившей в феврале 1945 года.

На Потсдамской конференции глав государств, состоявшейся в июле 1945 года, правительства Соединенных Штатов и Англии подтвердили свою заинтересованность во вступлении нашей страны в войну с Японией.

В ходе боевых действий Тихоокеанскому флоту предстояло нарушить японские морские коммуникации между Маньчжурией, Северной Кореей и Японией, содействовать войскам 1-го Дальневосточного фронта в наступлении на приморском направлении и оборонять во взаимодействии с войсками 2-го Дальневосточного фронта побережье советского Дальнего Востока.

При этом оборона побережья Татарского пролива возлагалась на входившую в состав ТОФ Северную Тихоокеанскую флотилию (командующий вице-адмирал В. А. Андреев) и 16-ю сухопутную армию.

Побережье Камчатки должны были защищать Петропавловская военно-морская база (командир капитан 1 ранга Д. Г. Пономарев) и воины Камчатского оборонительного района.

Перед Амурской флотилией (командующий контр-адмирал Н. В. Антонов) была поставлена задача – обеспечить войскам форсирование рек Амура и Уссури и содействовать наступлению наших войск на Сунгарийском направлении.

Руководство всеми боевыми операциями сухопутных войск, авиации и флота было возложено на Маршала Советского Союза А. М. Василевского.

Координацию действий Тихоокеанского флота с армейскими войсками осуществлял главнокомандующий ВМФ адмирал Н. Г. Кузнецов.

Наши войска превосходили японцев в личном составе – в 1,7 раза, танках – в 4,5 раза, в количестве самолетов – в 2,8 раза.

На морском же театре военных действий советские военно-морские силы уступали японскому флоту в количестве крупных надводных кораблей – авианосцев и линкоров, которых на нашем флоте вообще не имелось. Однако появление этих кораблей в российских водах было маловероятно, так как в воздухе полностью господствовала наша авиация.

Именно авиация Тихоокеанского флота начнет военные действия массированными ударами по японским портам Юки, Расину и Сейсину, которые служили японцам военно-морскими базами в Северной Корее. В результате налетов нашей авиации морские коммуникации Японии будут нарушены уже в первые дни войны.

* * *

1945 год, 30 июля. Корея. Побережье Японского моря близ города Чхонджин.

...Воды Японского моря были черны и спокойны под смолянистым ночным небом, когда на поверхности, у самой суши, появились люди. Их было пятеро, и все они были одеты в легкие водолазные костюмы.

Оружие держали наготове, тянули за собой водонепроницаемые мешки, наполненные взрывчаткой и один за другим медленно, с опаской, выходили на вражеский берег.

Стоило им выбраться на берег, как сверху, со скалистой тропы, поднимавшейся на высоту не менее двадцати метров над уровнем моря, послышались голоса. Несколько человек говорили по-японски.

– Ты ничего не слышал?

– А что такое?

– По-моему, возле воды кто-то есть.

– Да, мне тоже так показалось.

– Да бросьте вы, кто там может появиться? Это всего лишь волны бьются о камень.

– Какие волны? Ты что, не видишь, на море полный штиль!

– Надо спуститься вниз и посмотреть.

– Давайте аккуратно спускайтесь по одному. И – оружие к бою.

Без сомнений, это был японский военный патруль, постоянно обходивший побережье.

Группа старшего лейтенанта Крылова залегла в камнях, притаившись. Они даже не успели спрятать водолазное оборудование – акваланги, маски, ласты и прочее. Кроме того, в месте, где им пришлось выйти из моря, негде было замаскировать мешки с взрывчаткой.

Оставалось надеяться только на то, что японские патрульные – а японцы не доверяли корейским марионеточным войскам охрану побережья – не проявят особой настойчивости в осмотре местности.

– Командир, кажется, мы влипли, – прошептал Крылову один из бойцов, всем телом вжимаясь в скалистую породу.

– Молчи! – оборвал его командир группы.

Пятеро японских военнослужащих медленно спускались по узкой каменистой тропе, боясь в темноте сорваться с большой высоты вниз.

Диверсанты их хорошо видели, но от этого не становилось легче. Вступить в бой с патрулем, открыть огонь, значит, навеки остаться на этом побережье. Там, наверху, за высокой скалой, подступающей почти к самой воде, наверняка еще много солдат, способных без особого труда уничтожить пятерых русских диверсантов.

– Интересно, лодка наша успела уйти? – прошептал все тот же боец.

– А ты что, собираешься вернуться назад? – едва шевеля губами, спросил Крылов.

– Да нет, я думаю, как бы подводников в этой славной бухте япошки не накрыли.

– Ты сейчас лучше думай, как самому в живых остаться.

А патрульные спускались по тропе все ниже. Они уже не переговаривались, изо всех сил всматриваясь в темноту. Двое включили карманные электрические фонарики, и два узких желтых луча света принялись шарить по побережью, исследуя каждый квадратный сантиметр.

Трое наших разведчиков затаились чуть поодаль от командира, но держали его в поле зрения. Один из них показал Крылову автомат, на что старший лейтенант отрицательно помахал рукой. Стрелять было нельзя. Первый же выстрел поднимет в ружье весь военный гарнизон, и тогда из бухты будет не прорваться.

Японский патруль уже был у самой воды. Теперь, вытянувшись в одну шеренгу с интервалом в полтора метра, они начали прочесывание местности.

– Смотрите сюда!!! – неожиданно закричал один из патрульных. – Здесь акваланги!!!

– Что?!

– На берег вышли водолазы!!!

И тут же лязгнули затворы их автоматов. Патрульные быстро рассредоточились по береговой полосе и приготовились вступить в огневой контакт с невидимым пока что противником.

Крылов первым метнул в японского солдата нож. Лезвие, тускло блеснув в стремительном полете, поразило солдата в самое сердце.

Примеру старшего лейтенанта последовали и двое других диверсантов.

Все это произошло в мгновение ока. Патрульных стало на три человека меньше. А двое других не успели ни закричать, ни выстрелить. На них набросились наши разведчики.

Рукопашная схватка длилась недолго.

Через несколько секунд все пятеро японцев были убиты.

Убедившись в том, что опасность на какое-то время миновала, разведчики повытаскивали из трупов свои ножи и еще раз проверили оружие.

Мешки с взрывчатым веществом теперь были у них за спинами.

– Хреновое дело, – проговорил Крылов. – Так, двое, – произнес он, обращаясь к своим подчиненным, – быстро прятать в воду наше снаряжение! А мы займемся маскировкой трупов. Их нельзя оставлять на виду.

Трупы патрульных оттащили в естественную выемку под скалой и завалили большими камнями.

– Мужики! – обратился Крылов к подчиненным. – У нас всего пятнадцать минут, чтобы убраться из бухты. Иначе пропадем.

И тут оглушительно взвыла тревожная сирена. А в следующее мгновение сильный взрыв в море поднял столб воды высотой в сто – сто двадцать метров. Это на плавучую мину наскочила наша подводная лодка, так и не сумев уйти из бухты.

– Уходим!!! – крикнул старший лейтенант Крылов, и группа диверсантов кинулась за ним следом, стараясь отойти от воды как можно дальше.

На побережье поднялась паника. Теперь всюду шастали широкие лучи мощных прожекторов береговой охраны. Подразделения японской армии перекрывали все дороги и тропы. В море вышли быстроходные катера.

Шансов у нашей группы не оставалось никаких.

Взобравшись на скалу, все пятеро увидели дорогу, проходившую мимо, и армейский джип, на котором сюда прикатили двое офицеров. Не дав им даже выйти из машины, разведчики бросились на противника с ножами, а затем сами заняли места в автомобиле.

Старший лейтенант Крылов надавил на газ, утопив педаль в пол...

Через пять минут бешеной гонки перед ними возник шлагбаум контрольно-пропускного пункта. Не сбавляя скорости, джип пронесся мимо, снеся перегородку шлагбаума и сбив вышедшего на проезжую часть дежурного по КПП.

Двое солдат, дежуривших здесь, открыли по джипу автоматный огонь. Но наши диверсанты были уже далеко.

* * *

1945 год, 30 июля. Китай. Маньчжурия. Харбин.

– Здравствуйте! Здравствуйте, гости дорогие! – Борис Рийзман вышел навстречу появившимся в ресторане полковнику Киото Мавари и мне, «Вениамину Кегельбауму».

Что за дурацкая фамилия – Кегельбаум?! Стану я когда-нибудь снова Журбиным?!

К сожалению, спросить об этом вслух было не у кого.

Я радостно приветствовал «брата», обнимая его и, как всегда, незаметно засовывая в его карман записку с информацией, в которой говорилось, что через сутки меня будут переправлять на советскую территорию.

Весь вечер Киото Мавари не сводил с меня глаз, контролируя каждое мое слово.

А я весь вечер болтал с Рийзманом ни о чем или рассказывал, как тяжело мне было в последние годы в Константинополе и как я счастлив теперь здесь, в Харбине, имея и брата рядом, и такого могущественного покровителя, как полковник Киото Мавари.

Можно было не сомневаться в том, что где-то рядом с рестораном вновь маячит Коля Каблуков. Но я в этом окончательно убедился, когда Борис Рийзман оставил нас с полковником «на минуту», сославшись на то, что должен отдать какие-то распоряжения поварам и официантам. Вернувшись, Рийзман подмигнул мне, и я понял, что моя записка ушла по назначению – к Николаю.

Теперь мы преспокойно ели блины с красной икрой и пили русскую водку. Впрочем, русской она только называлась, а производили ее, как мне думается, тут же, в Харбине.

Да и не о водке речь. Я был рад, что завтрашней ночью меня будут сопровождать к границе не только полковник Киото Мавари с капитаном Фудзинаи.

Когда свои рядом, оно все-таки спокойнее.

* * *

1945 год, 30 июля. Москва. Кремль.

Сталин долго расхаживал по кабинету, будто не замечая вызванного и уже вошедшего к нему генерал-лейтенанта Абакумова.

Неторопливо раскурил трубку. Закашлялся. Вытер платком слезы, проступившие на глазах от кашля. Сделал из стакана глоток чая с лимоном. И лишь потом подал голос:

– Ну что, Виктор Семенович, каковы наши успехи на Дальнем Востоке? У вас есть что сказать мне?

Следует заметить, что генералиссимус вызывал к себе с такими вопросами и Берию, и Маленкова, и Микояна, аналитический ум которого ценил более всего. На сей раз он вызвал Абакумова. И в этом не было ничего удивительного. Обстановка на Дальнем Востоке накалилась до предела. Обе стороны – и СССР, и Япония – прекрасно понимали, что начала боевых действий не избежать. Сидели все, образно выражаясь, вдоль границ и тряслись, как на пороховой бочке.

– На фоне Великой Отечественной войны против фашистской Германии, товарищ Сталин, – начал говорить Абакумов, – с ее огромными масштабами театра военных действий, втянутых в нее вооруженных сил, колоссальных жертв и разрушений, военных и политических последствий теряется и меркнет значение военной кампании на Дальнем Востоке. И напрасно. Наша контрразведка хорошо поработала в этом регионе. Все данные по вооружению и сосредоточению боевых сил Квантунской армии, военного флота и авиации Японии были на днях приведены мною на совещании в Генеральном штабе. Но если говорить о большой политике, то мы в ходе этой операции должны вернуть себе Южный Сахалин, всю гряду Курильских островов, создать группу союзных с нами государств, получить в пользование стратегически важные военно-морские базы Порт-Артур и порт Дальний. Кроме того...

– Перестаньте, товарищ Абакумов! – нервно перебил его генералиссимус. – Вы тут рассуждаете как большой политик... Я бы даже сказал, как глава государства! Скромнее надо быть... – Сталин нахмурился.

Генерала Абакумова прошиб пот. Уж не подумал ли вождь, что Виктор Семенович метит на его место? Даже такая мысль уже была страшна сама по себе.

– Вы меня неправильно поняли, Иосиф Виссарионович, – кашлянув, снова заговорил Абакумов. – Я имел в виду, что проведенные подготовительные мероприятия, включая полные разведданные и степень готовности армий маршала Василевского, дают нам большие шансы на осуществление намеченных планов.

– Ну, знаешь что?! – вновь недовольно проговорил Сталин. – Я еще в сорок третьем году, сразу же после Тегеранской конференции, предупредил Василевского, что именно он возглавит будущую военную кампанию на Дальнем Востоке. И я хочу обратить особое внимание на то, что наша будущая победа на Дальнем Востоке смоет пятно позорного поражения России в войне с Японией в 1905 году. У меня к тебе другой вопрос...

– Слушаю внимательно, товарищ Сталин.

– Как думаешь, применят японцы биологическое оружие?

Это была западня. Абакумов не знал, что ответить вождю. Сказать прямо – «не знаю» – означало поставить крест на всей своей блестящей карьере. Соврать – тоже не пройдет. Сталин видел людей насквозь и за малейшую фальшь сурово наказывал.

– Чего ты молчишь, генерал?! – возмутился генералиссимус. – Тебе нечего сказать?!

– Я понимаю, о чем вы, Иосиф Виссарионович...

– А если понимаешь, почему молчишь?!

– В настоящее время в Харбине начала действовать наша разведывательно-диверсионная группа. Пока что от нее нет никаких известий. Но я надеюсь, что в ближайшие дни мы получим необходимые сведения.

– В ближайшие дни?! – воскликнул Сталин. – А войска на границе будут сидеть и ждать от тебя этих ближайших дней, да?!

– Я смогу доложить вам по существу вопроса завтра или послезавтра... – Абакумов прямо посмотрел в глаза вождю. – Но уверен, что лаборатория по производству биологического оружия непременно будет уничтожена.

– А что с Ахиллесом? Он домой возвращается?

И такого вопроса генерал Абакумов от Сталина не ожидал. Никак не мог предположить, что глава государства держит в памяти оперативный псевдоним одного из многих контрразведчиков «Смерш».

– Да, в ближайшие дни надеемся увидеть его в Москве.

– Опять «в ближайшие дни»?! – окончательно вспылил вождь. – Вы что, издеваетесь надо мной?! Ну, хорошо, хорошо, – он немного успокоился. – Ахиллес вернется один или с гостями?

– Наверное, один, товарищ Сталин. – Теперь уже Виктор Сергеевич откровенно прятал глаза. – Операция по похищению полковника Киото Мавари не удалась. Мы не смогли предугадать того, что японская разведка решит перебросить Ахиллеса в наш тыл в качестве своего шпиона.

– «Не могу», «не уверен», «не смогли предугадать»... – ворчал Сталин. – Мы не гадалки здесь, чтобы предугадывать. Ходы свои просчитывать нужно. Тщательно просчитывать! Я знаю, в чем дело. Вы все упиваетесь победой над Германией. Торжествуете и празднуете разгром фашистов. Ваши лица сейчас обращены на Запад. А между тем японский дракон с Востока дышит вам в спину. И вы не замечаете или не хотите замечать этого опасного дыхания. Все. – Сталин нервно бросил трубку на зеленое сукно рабочего стола. – Вы свободны, товарищ Абакумов...

Глава 6

НА ОСТРИЕ САМУРАЙСКОГО МЕЧА

1945 год, 3 августа. Китай. Маньчжурия. Селение Фунчу близ советско-китайской границы.

– Переодевайтесь. – Киото Мавари указал мне на аккуратно сложенную одежду, которую я должен был примерить на себя. – Внешность должна соответствовать.

Это были кирзовые сапоги с суконными портянками, офицерские армейские галифе, серая рубаха цвета чуть светлее ноябрьского неба и пиджак темно-серого цвета. Вдобавок кепка из темного плотного сукна в черную крапинку. Все – советского производства. Все – уже кем-то ношенное. Все – даже кепка – подошло мне точно по размеру, как будто вещи выбирал себе я сам и носил их с месяц-полтора.

Термос с бактериями капитан Фудзинаи, который находился здесь же, в небольшой китайской фанзе, сбитой из досок и покрытой сверху камышом, уложил в обыкновенный, защитного цвета вещмешок-«сидор».

Перед последним броском через границу мы остановились в крохотной деревушке, притулившейся почти к пограничной полосе. До запретной зоны отсюда было не более километра. И по «запретке» до самой границы – три версты.

Я знал: в обычном режиме тут солдат, как муравьев в муравейнике – не счесть. Сейчас же – я не раз выглядывал через окошко избы – ни души.

Где-то неподалеку, вероятно, были и боевики из БРЭМа, которым предписывалось перейти рубеж немного левее. Но мне их не показывали, как и меня – им.

«Расходный материал», эти люди даже не знали, что их переход границы заранее обречен на провал и гибель в соответствии с планом, который придумал офицер японской разведки – Киото.

А мою безопасность ему приходилось блюсти.

Полковник вообще позаботился о том, чтобы ни одной посторонней живой души рядом не было, чтобы никто не мог случайно увидеть моего лица. Даже само селение Фунчу казалось вымершим. Тут можно было догадаться, что японские власти, готовясь к началу боевых действий, эвакуировали жителей приграничья.

Так или иначе, но на всем обозримом пространстве я мог сейчас заметить только Киото Мавари и Фудзинаи. Оба – в формах японских офицеров. На портупеях, в кобурах – пистолеты, в ножнах – короткие самурайские мечи для ближнего боя, а чаще – для харакири.

У меня возникло ощущение, что на остриях этих мечей, отточенных как бритва у хорошего цирюльника, стою я сейчас голыми пятками. И не дай бог сделать одно неловкое движение – распорют от мошонки и до самой шеи.

– В тайге будет сыро, – проговорил Киото Мавари и протянул мне штормовку – грубый брезентовый плащ серо-зеленого цвета. Такие носили местные жители по другую сторону границы.

В вещмешок, помимо опасного термоса, положили шмат сала, обернутый хлопчатобумажной тканью, несколько луковиц и каравай ржаного хлеба, какие выпекаются в русских крестьянских печах. Туда же бросили еще пару портянок и сменное нижнее белье – белое солдатское.

Советские документы, выданные мне полковником, я рассовал во внутренние карманы пиджака. Машинально обратил внимание на то, что документы были настоящими, то есть раньше они принадлежали кому-то из советских граждан. Лишь фотография моя, искусственно «состаренная», в военном билете.

– И вот еще что, – сказал Киото Мавари. – Это вам может пригодиться.

Он вручил мне пистолет ТТ, четыре обоймы к нему и немецкий кинжал, какими обычно вооружались штурмовые отряды войск СС.

Пистолет я сунул за пояс под пиджаком, кинжал в ножнах повесил сбоку на ремне, а запасные обоймы сунул за голенища сапог.

– Обратите внимание на лацканы пиджака, – сказал полковник.

Я ощупал швы и заметил в них небольшие уплотнения, выпуклости, что ли.

– Это капсулы с мгновенно действующим ядом, – пояснил Киото Мавари. – Если вам в пути не повезет и вы встретитесь с оперативными сотрудниками советской контрразведки «Смерш», лучше сразу же раскусить одну из этих ампул.

– И – умереть?! – спросил я наивно.

– Поверьте мне на слово, мой дорогой друг, – полковник скривился в улыбке, – лучше отправиться на тот свет, чем оказаться в руках этих жестоких и беспощадных людей. Если попадетесь контрразведчикам, вас будут пытать – вырывать плоскогубцами ногти, подвешивать к потолку за волосы, засовывать, извините, в задницу раскаленный металлический прут... А если и в этом случае ничего не скажете, могут и глотку жидким свинцом залить напоследок. Так что в плен сдаваться не советую. У них много способов изощренных пыток, с помощью которых даже немой начинает говорить быстро и много. Есть, правда, другой вариант. Вы можете сами прийти в советскую контрразведку и чистосердечно признаться, что заброшены в СССР «Токуму кикан» с диверсионной и шпионской миссией. Без всяких пыток там расскажете все, что знаете. Но тогда вас просто расстреляют как японского шпиона. Даже не надейтесь, что сможете выторговать у них свою жизнь. А теперь вам необходимо отдохнуть. Идите в соседнюю комнату и ложитесь спать, там для вас постелена кровать. Сегодня ночью мы с капитаном проведем вас к самой границе...

Спать! Ни хрена себе! Понарассказывал тут страхов всяких, а теперь усни поди.

Хотя, понятное дело, встречи с контрразведчиками я не боялся. Но перед Киото Мавари вынужден был изобразить качественный испуг.

Завалившись на койку, закрыл глаза. А сон не шел. В голову лезли всякие мысли и воспоминания.

Ну что у меня за жизнь такая-сякая?! Лето сорок пятого года на дворе, народ в России победу празднует, страну из руин поднимает, новые города строит, а я до сих пор воюю. И воюю не на своей земле, а где-то у черта на куличках. Впрочем, это хорошо, что не на своей. Не хрен врагам всяким на моей земле делать.

Вот не ради красного словца скажу. Лежал я тогда на жесткой койке в китайской фанзе и, не издавая вслух ни звука, пел про себя: *«Не смеют крылья черные над Родиной летать, поля ее просторные не смеет враг топтать! Пусть ярость благородная вскипает, как волна! Идет война народная, священная война!»*

Это сейчас все больше про путану сопливо поют или про уголовную романтику соловьями обосранными заливаются. Тьфу! А мы тогда, в сороковые годы, другие песни любили. Теперь никто наши старые песни уже и не помнит...

Допев беззвучно «Священную войну» до конца, я погрузился в воспоминания. Вообще, никогда не любил ворошить прошлое. А теперь захотелось.

Вспомнился мне первый год войны. Первая встреча с гитлеровскими десантниками под Москвой.

В июле 1941 года специальная группа офицеров контрразведки была поднята по тревоге, соответственно экипирована и брошена в подмосковные леса на поиски и обезвреживание группы высадившихся фашистских парашютистов.

Командовал группой я, тогда еще старший лейтенант госбезопасности Иван Степанович Журбин, успевший повоевать к тому времени в Испании и поучаствовавший в Финской кампании. Из Мадрида привез орден Красного Знамени, из карельских снегов – гранатный осколок в спине, который и сейчас вытащить из меня невозможно, потому как задет нерв возле позвоночника.

Первоначально был известен лишь приблизительный район десантирования и количественный состав разведывательно-диверсионной группы.

Из штаба противовоздушной обороны Московского военного округа доложили, что дежурные наблюдатели засекли на юго-западе от столицы военно-транспортный самолет противника. Но заметили его поздно, уже на развороте при одновременном снижении высоты, когда он производил выброску десантников. Их насчитали десять человек.

И чекистов тоже было десятеро.

Правда, подразделениями заградительных военных комендатур внутренних войск к моменту нашего прибытия в район уже проводилась войсковая операция – так называемое прочесывание лесного массива. Но я знал точно: диверсанты не станут вступать с войсками в бой. У них – совершенно иная задача.

Скорее всего, разведгруппа противника, десантировавшись в наш тыл, для начала избавится от явных улик – прежде всего от парашютов и другого прыжкового снаряжения, – тщательно замаскируется на местности или же попытается пройти незамеченной к ближайшему населенному пункту, предварительно переодевшись.

К тому же это на западном направлении, в окопах и под пулями бойцы Красной Армии уже хлебнули лиха, а «придворные» солдаты – необстрелянные сосунки, щедро вскормленные комендантской кашей с салом и отоспавшиеся на белых простынях, – вряд ли смогут обнаружить опытных разведчиков-диверсантов. А даже если и обнаружат, то в лучшем случае со страху перебьют всех до одного. При худшем исходе – сами лягут под пулями.

В задачу оперативно-розыскной группы входило взять живыми, если не всех, то хотя бы кого-то из разведывательно-диверсионного отряда немцев. Контрразведке нужна была прежде всего свежая оперативная информация...

– Как думаешь, найдем мы их? – Егор Синицын, знакомый мне еще по боям в Испании, шел рядом, всматриваясь в предрассветную сизую хмарь, стараясь ступать на землю так, чтобы ни одна ветка не хрустнула под ногами.

– А куда мы денемся, Гоша? – ответил я, хотя очень даже сомневался в благополучном исходе всей этой затеи.

Егор служил в контрразведке еще с Гражданской войны. Дрался как черт. В кулачном бою пятерым не уступал. Из револьвера на лету дырявил медный пятак. С завязанными глазами финский нож метал точно в яблочко. Кроме того, свободно владел немецким языком. Впрочем, как и я сам – после окончания специальных курсов НКВД, куда нас вместе направили по комсомольским путевкам.

Между тем группа разбилась на пары. Каждой паре был отведен для поиска свой квадрат. Так было эффективнее, чем бродить по лесу стадом в десять человек и пугать сорок, дремлющих на ветках.

– Ты знаешь, я боюсь, – признался мне Синицын. – Никогда так не боялся. А сейчас – страшно.

– Не помню, чтобы тебе в Мадриде было страшно, – произнес я тогда с упреком, стараясь скрыть от товарища, что у самого от волнения сосет под ложечкой.

– В Мадриде была чужая земля. А здесь – своя, родная. Я тебе честно скажу, Иван: на своей земле погибать в тысячу раз страшнее.

Но я уже предупредительно поднял вверх указательный палец.

Послышалось, будто где-то впереди птицы с веток стаей шарахнулись.

И Синицын, похоже, услышал то же самое.

– Может, это наши их спугнули? – шепотом спросил Синицын.

– Наших, Гоша, там нет. Не дошли еще.

– Значит, немцы?

– Будь настороже, догадливый ты мой.

Мы медленно, прячась за стволами деревьев, используя в качестве укрытий овражки и невысокие холмы, двинулись в том направлении, откуда слышали птичьи всполохи.

Еще четыре пары чекистов находились неподалеку. И они были готовы прийти на помощь, услышав условный сигнал – приглушенный крик филина.

О противнике в целом тогда было известно очень немного. Да и то информация, поступающая от зафронтовых агентов, носила скорее обобщенный характер, чем практически оперативный, способный помочь в конкретной ситуации, при задержании вражеской разведгруппы.

Впрочем, хорошо было уже то, что в контрразведке знали, с какого класса специалистами придется иметь дело.

– Опаньки! Вот они! – Сердце у меня сжалось. Я бесшумно упал на брюхо и распластался по земле.

Егор Синицын проделал то же самое и почти одновременно со мной.

С первого взгляда можно было предположить, что полувзвод бойцов Красной Армии движется по лесу во главе со своим командиром – бравым подтянутым лейтенантом.

Все, как говорится, было обставлено чин чинарем.

Шли они не прячась, стройно, колонной по два. Лейтенант возглавлял подразделение. Уже светало, и я отчетливо видел знаки офицерского различия на красных петлицах его гимнастерки. Наверное, и с документами у орлов залетных тоже все в порядке.

– Может, наши? – спросил Синицын, щекоча своими пышными рыжими усами мое правое ухо.

И я так подумал бы. Подумал бы, если бы не несколько подозрительных «но». Сапоги у этих красноармейцев были сухими и чистыми. До ближайшей автодороги отсюда – не менее десяти километров. Как же им удалось пройти такое расстояние по лесу и не вымокнуть, и не выпачкаться? Гимнастерки на них тоже, кстати, были с иголочки. Не бывает так в действующей армии!

Жестом показав Егору, чтобы он заткнулся – попросту сунув ему под нос свой здоровенный кулак – я продолжал разглядывать группу военнослужащих, в которых подозревал разыскиваемых нами парашютистов-десантников.

Нет, это не солдаты Красной Армии. Наши часов на руках в то время почти не носили. А у этих – у каждого! – ходики на запястьях. И ножи на поясных ремнях висят. Роскошь несусветная. Максимум, на что мог рассчитывать советский боец, это штык к трехлинейной винтовке. И винтовок у этих не было. Каждый нес на плече автомат ППШ.

Конечно, так тщательно командование внутренних войск вполне могло экипировать особые подразделения истребительных отрядов, направленных на борьбу с диверсантами. Но и тут была неувязочка.

Перед отправкой в район проведения операции «Десант» комендант особой зоны майор Возович всех проинструктировал:

– Товарищи офицеры, перед вами по ходу движения советских войск нет на протяжении пятидесяти километров. Район полностью оцеплен. «Прочесывание» истребительными подразделениями ведется за вашими спинами, по вашим, можно сказать, следам. Это на тот случай, если враги залягут в укрытие или просочатся мимо оперативных групп контрразведки.

По всему выходило, что пехотный полувзвод под командованием бравого лейтенанта – фашистские диверсанты.

Тут же возникал и другой вопрос, еще более сложный. Как задержать этих гадов, не открывая огонь? Окажись на моем месте писатель-фантаст, он непременно бы что-нибудь придумал. Но я не писатель. И фантазии моей хватило только на то, чтобы прокричать в рассветном лесу голосом раненого в задницу филина.

Почти моментально откликнулись и другие ночные охотники – наши боевые пары, рассредоточенные по лесу.

Стоп! «Лейтенант» вскинул вверх руку, и полувзвод, не останавливаясь и не сбавляя темпа движения, принялся рассредоточиваться.

Теперь я судорожно пересчитал врагов. Но ведь это был не полувзвод, а всего-навсего стрелковое отделение! Как же я раньше не посчитал?! Конечно же, диверсантов было не десять, а всего семь человек. Куда подевались еще трое?

В очередной раз в мою душу закрались сомнения.

Дежурные противовоздушной обороны доложили точно – видели десяток парашютистов.

Может быть, «лейтенант» троих отправил в другом направлении для выполнения какой-то иной боевой задачи?

В любом случае никто этого не узнает до тех пор, пока не задержат бравого «лейтенанта» с его подчиненными.

«Задержат» – это лихо сказано.

Надо выйти и поприветствовать:

– Здравствуйте! Не подскажете, который час? Это не вы, случайно, прилетели сюда на самолетике и приземлились на парашютиках?

Не сложно догадаться, как они ответят. Думаю, разом из всех автоматных стволов.

«Куда, зараза?!» – Нет, я этого не выкрикнул. Я только это подумал.

Пока я тут, лежа за пригорком, ерничал, Егор Синицын поднялся в полный рост и пошел к диверсантам, абсолютно не скрываясь. Ну, разве что свой автомат держал на изготовку.

И снова по лесу в округе угукнули «филины». Офицеры чекистской группы, таким образом, давали понять, что готовы к силовому задержанию. Судя по звукам, все они равномерно расположились вокруг подразделения диверсантов и заняли боевые позиции.

– Лейтенант! – отчетливо проговорил Синицын. – Остановите красноармейцев и предъявите документы!

Он – сумасшедший.

Нет, Журбин, ты не прав. Старший лейтенант госбезопасности Егор Синицын, советский контрразведчик – настоящий герой. В той сложной задаче с семью неизвестными его шаг навстречу смертельной опасности был единственно правильным действием. Только таким образом можно было остановить движущийся отряд – полностью отвлекая все внимание противника на себя.

– А в чем дело?! – возмущенно воскликнул «лейтенант». – Вы сами кто такой?!

Похоже, командир неизвестного подразделения ничуть не удивился появлению здесь, на небольшой поляне, Синицына. Значит, ожидал встречи с нами каждое мгновение.

Так или иначе всем остальным пришлось остановиться и ждать от своего «лейтенанта» скрытой команды – разбегаться по лесу или... уничтожить возникшего на пути Егора Синицына.

– Документы! – повторил Синицын.

– Мы бойцы истребительного батальона внутренних войск! – назвался «лейтенант», протягивая Егору удостоверение личности офицера.

«Не давай ему говорить!» – мысленно приказал я, потому что в каждом слове, произнесенном «лейтенантом», мог скрываться условный сигнал своим.

– Помолчите. – Егор как будто услышал мое указание. – Я сейчас сам разберусь.

И тут я свистнул. Потому что дальше медлить было нельзя.

Контрразведчики ринулись на задержание со всех сторон.

Диверсанты тут же открыли по ним шквальный огонь из автоматов. Началась перестрелка.

«Лейтенант», как только увидел появившихся с разных сторон оперативников, выхватил нож и кинулся на Синицына.

Егор не успел ни выстрелить в него, ни отразить ножевую атаку. Опытный, видать, не один раз побывавший в крутых переделках, «лейтенант» первым же молниеносным движением вспорол Егору горло. И тут же, ловко перекатившись через голову по поляне, попытался укрыться за можжевеловым кустом. Но я заметил его и бросился следом.

Паша Семенов в это время, подстрелив одного из фашистов в ногу, навалился на него сверху и успешно связывал. Федор Демьяненко дрался врукопашную. Рустам Хаджиметов налетел на диверсанта сзади и саданул того по затылку прикладом автомата. Других я рассмотреть не мог. Самому нужно было достать мерзавца, убившего моего лучшего друга – Егора Синицына.

Упав за густым кустом можжевельника, «лейтенант» открыл огонь из автомата.

Я подбирался к нему слева, стараясь до поры ничем себя не выдать.

И был уже практически у цели, когда «лейтенант» меня заметил.

Он тут же навел в мою сторону автомат. Но неожиданно опустил ствол, широко раскрыл глаза и удивленно произнес по-немецки:

– Фон Крюгер?! Мартин, это ты?! Не может быть! Ты как здесь оказался?! Я что, схожу с ума?! Мартин, ты не узнаешь меня?!

Прекрасно понимая, что таким образом диверсант просто хочет сбить меня с толку, я кинулся на него. Никаким Мартином я сроду не был и слушать этот бред не собирался.

Немец дрался не на жизнь, а на смерть. Само собой, терять «лейтенанту» было нечего. Отбросив пустой автомат в сторону, он бросился на меня все с тем же ножом, которым зарезал Егора.

– Сука какая! – тяжело дыша, проговорил я. – Ну, помаши, помаши ножичком...

На поляне еще стреляли и дрались. Мы же с «лейтенантом» оказались в небольшом удалении от места общей схватки.

Нож так нож, подумал я. Но сам доставать свой клинок из ножен не стал. Очень уж хотелось эту мразь живьем взять. Наверняка остальные диверсанты не владели важной оперативной информацией. А вот их командир мог знать то, о чем другим знать не положено по рангу.

Значит так судьбе угодно, чтобы с этим командиром разбирался не Демьяненко и не Хаджиметов, а я, старший лейтенант Журбин.

Отскочив от диверсанта на безопасное расстояние, я отшвырнул свой автомат, снял поясной ремень, на котором еще болталась кобура с револьвером системы «наган», освободился от офицерской полевой сумки, в которой хранились топографические карты местности и коекакие служебные документы, и освободил голову от фуражки. Все это могло помешать в рукопашной.

А выстрелы на поляне тем временем прекратились. Похоже было на то, что офицеры контрразведки дело свое сделали – «спеленали» фашистов.

Что ж, надо было и мне поставить свою достойную точку в этой операции.

«Лейтенант» бил своим ножом несколько раз. Но мне удавалось увернуться.

Я, в свою очередь, попробовал обезоружить фашиста. Не тут-то было! Волк оказался матерый.

В ходе рукопашного боя я пропустил мощный удар ногой в корпус. Но на ногах устоял, едва не захлебнувшись, правда, желчью.

Пару раз заехал «лейтенанту» кулаком по башке. Но голова у него оказалась непробиваемая, как у хорошего боксера.

Сократив дистанцию, он в очередной раз ударил меня лезвием сверху и – слава русской природе! – глубоко вонзил нож в толстый березовый ствол. Вытащить нож оттуда оказалось нелегким делом.

Вот тут я его и достал, что называется, от души.

Ох, ребята, и бил же я эту фашистскую гниду! Бил до тех пор, пока не подбежали сослуживцы – чуть ли не всей честной компанией пришлось оттаскивать меня от фрица...

Итоги нашей операции оказались невеселыми.

Кроме Егора Синицына погибли еще трое.

Остальные – слава партии родной! – были живы, хотя и изрядно потрепаны.

Диверсанты достались непростые.

– Ты хоть знаешь, кого задержала твоя группа? – спросил меня майор Веприн, начальник отделения контрразведки, когда все диверсанты были доставлены в Москву по адресу: площадь Дзержинского, дом 2 и разведены по кабинетам на четвертом и седьмом этажах.

– Скотов я задержал, товарищ майор. Я бы им еще и задницы голыми руками поразрывал!

– Это само собой! – рассмеялся Веприн. – Тобою и твоими «волкодавами» обезврежена особая парашютно-десантная абверкоманда группы армий «Центр». И командовал ею не кто иной, как обер-лейтенант фашистской военной разведки барон фон Граубер. Сын того самого генерала фон Граубера!

– Так уж и барон?! – недоверчиво посмотрел я на майора Веприна.

– Вот именно, – подтвердил майор. – А главной задачей его группы было проникновение на территорию Москвы и минирование завода артиллерийского вооружения.

– Да ну! – вылупился я на начальство.

– Вот тебе и «ну»! – вновь хохотнул майор. – Выпьешь? – Он протянул мне стакан.

Как тут откажешь? Начальство, оно на то и начальство, чтобы ему никто ни в чем не отказывал.

– За Сталина, товарищ майор! – предложил я свой тост.

– За Родину! – не то дополнил, не то поправил майор Веприн.

Вот такой была моя первая стычка с фашистами. Потом, во время войны, таких много было. До самого Гитлера чуть не добрался! Но ту, самую первую операцию в Подмосковье помню до мельчайших подробностей.

– А куда же делись еще трое из отряда Граубера? – спросил я майора Веприна, когда мы выпили с ним по чарке. – Ведь они, насколько я понял, десантировались вдесятером?

– Все просто, – ответил майор. – Одного унесло восходящим воздушным потоком далеко в сторону от намеченной площадки приземления. Его задержать нам не удалось. Окруженный бойцами истребительного отряда, он предпочел не сдаваться и принял яд из капсулы, зашитой в воротник гимнастерки. Второй, приземляясь с парашютом на лес, запутался в стропах и, падая уже на землю без купола, свернул шею. А третий при неудачном приземлении сломал себе ногу. И, поскольку идти дальше не мог, попросил Груабера, чтобы тот его прикончил. Граубер оказался весьма отзывчивым на просьбы такого рода...

И мы с Веприным выпили еще – за нашу победу.

Победа пришла в мае сорок пятого. На дворе уже август. А я вот лежу в китайской фанзе, ворочаюсь с боку на бок и никак не могу уснуть. Да и какой тут мог быть сон к едрене фене?! Через несколько часов мне предстояло оказаться на Родине – и смех и грех – в роли японского шпиона. А что, если примут меня наши же ребятки по ту сторону границы, не разобравшись, с ходу на штыки? Или автоматными очередями приласкают так, что мало не покажется...

А домой хочется – жуть! Вот вернусь в Москву и демобилизуюсь подчистую. Хватит, навоевался. Хотя, конечно, если жив останусь. А это еще вопрос.

...Пока я тут, лежа на койке, вспоминал прошлое, не заметил, как наступил вечер, и над бедняцкой хижиной, в которой, кроме меня, были еще полковник Киото Мавари и капитан Фудзинаи, опустилось низкое синее небо. За вечером всегда приходит ночь. А ночью я должен пересечь границу...

– Вы спите? – в комнату вошел Киото Мавари. – Пора подниматься и готовиться к выходу.

– Да, конечно, полковник. Я уже встаю.

Вот взял бы сейчас и убил его к чертовой матери. Но планы были другие.

* * *

1945 год, 3–4 августа. Китай. Маньчжурия. Харбин.

В то время когда полковник Киото Мавари вместе с капитаном Фудзинаи готовили Журбина-Кегельбаума к переброске через границу, ресторатор Рийзман встречал в своем заведении на Центральной улице Харбина пятерых гостей.

Гости эти были какие-то странные. Посетить ресторан они предпочли глубокой ночью, когда заведение покинули все посетители. И пришли сюда не через парадные ворота, а со стороны хозяйственного двора, пробравшись по узкой улочке, о чем у них с Рийзманом была предварительная договоренность.

Хозяин ресторана в назначенный час вышел на улицу, открыл неприметную калитку и впустил всех пятерых, не зажигая света.

– Проходите вниз, через кухню, – распорядился Рийзман.

Они расположились в одном из полуподвальных помещений.

– Товарищи, я еще раз хочу предупредить вас о предельной осторожности. Хватит уже, что вы наделали много шума на побережье и оставили там взрывчатку. Теперь все силы полиции, жандармерии и разведки работают в усиленном режиме и в Корее, и здесь, в Маньчжурии.

Действительно, это были те самые люди, которым не повезло после десантирования с борта подводной лодки нарваться на японский военный патруль. Во время бегства из бухты на военном джипе пришлось бросить мешки с взрывчаткой, иначе было просто не уйти. Но теперь, в Харбине, как всегда, незаменимым оказался Борис Рийзман, раздобывший для бойцов бригады особого назначения и новую партию взрывчатого вещества, и другой автомобиль, на котором можно было добраться до места дислокации «Отряда 731» – лаборатории по производству биологического оружия.

– Подводников жаль, – проговорил кто-то из группы. – Лодка напоролась на минные заграждения у самого берега. Наверняка все погибли.

– Война, – ответил ему Риизман. – И никто из нас не застрахован. Так что давайте-ка, друзья мои, не будем раскисать. Впереди важная работа, с которой, надеюсь, вы справитесь. Забирайте вот это. – Ресторатор указал на брезентовые мешки, в которых было взрывчатое вещество. – Где ваше личное оружие?

– Оставили за городом, чтобы не рисковать. Заберем на обратном пути, – ответил командир группы старший лейтенант Крылов.

– И правильно сделали. В Харбине полно патрульных солдат и контрольных постов.

– Все, времени больше нет. – Крылов взглянул на наручные часы. – Пора выдвигаться.

Мешки с взрывчаткой погрузили в багажник автомобиля, который был припаркован Риизманом на заднем дворе ресторана. Все пятеро уселись в салон. Ресторатор открыл ворота. Автомобиль заурчал мотором и выехал со двора.

Им нужно было отъехать всего на двадцать километров от города, чтобы сделать то, ради чего они здесь появились.

* * *

1945 год, 3–4 августа. Китай. Маньчжурия. Селение Фунчу близ советско-китайской границы.

Мы вышли из фанзы втроем. Молча. Сурово и деловито.

Полковник Киото Мавари шел впереди. Капитан Фудзинаи и я – в метре за его спиной.

Путь наш лежал прямиком к самой границе.

Уже перед самой запретной зоной Киото Мавари остановился. Вокруг была сплошная темень. Фонарей мы, понятное дело, не зажигали. Справа и слева с трудом угадывались редкие кусты растительности, покрывающие пологие сопки. Впереди, наверное, в полутора километрах – был рубеж, за которым начиналась советская земля.

– Все, мой друг, – тихо проговорил Киото Мавари. – Дальше вы пойдете один, а мы с капитаном Фудзинаи вернемся в Харбин и будем надеяться на вашу удачу. Посмотрите на часы. Ровно через двадцать минут на левом фланге границы начнется вооруженный прорыв. В это время вам лучше всего пересечь кордон и углубиться на территорию русских.

– Я все понял, – ответил я в тон полковнику. – Но только ваши планы с моими никак не совпадают.

– Что?! – Мне показалось, что Киото Мавари от удивления чуть не проглотил собственный язык. – Повторите, что вы сейчас сказали?!

– Повторяю для дураков: ваши планы не совпадают с моими, полковник.

Рука Киото Мавари скользнула к пистолетной кобуре.

Капитан Фудзинаи сделал то же самое и чуть отступил в сторону.

Теперь он стоял слева от меня, держа наготове взведенное оружие...

* * *

1945 год, 3–4 августа. Китай. Маньчжурия. Поселок Пинфань провинции Биньцзян, в двадцати километрах южнее города Харбина.

Машину, предоставленную Борисом Рийзманом, разведчики оставили на окраине поселка, не доехав до самой базы «Отряда 731» примерно с километр.

Далее предстояло пробираться пешком, крадучись, потому что весь поселок и ближайшие прилегающие к нему дороги напичканы японскими или китайскими марионеточными войсками.

Проезжей части вообще сторонились, передвигаясь вдоль обочин дорог, припадая к земле при малейшем намеке на возникающую опасность.

Всю ночь по дорогам передвигались отдельные войсковые автомобили и целые колонны с военнослужащими. Тут же шныряли и патрули, проверяющие документы у каждого встречного-поперечного. Чем ближе группа старшего лейтенанта Крылова подходила к объекту, тем опаснее становилось ее передвижение в пространстве.

За час диверсантам удалось приблизиться к базе всего на пятьсот метров. И здесь начались первые серьезные проблемы. Вся территория вокруг оказалась обнесенной двумя рядами колючей проволоки. И это еще полбеды. По проволоке, без сомнения, был пропущен электрический ток. Кроме того, пространство между рядами постоянно высвечивалось шарящими прожекторами с высоких деревянных вышек. Но и это еще не все.

Собаки. Натасканные немецкие овчарки, обученные защитно-караульной службе.

Бойцы разведывательно-диверсионной группы, находясь от заграждений на значительном расстоянии, обратили внимание на то, что пары японских солдат-проводников с собаками перемещались по периметру, ограждающему секретную базу, с временной дистанцией в три-четыре минуты.

– Вот зараза! – шепотом выругался Крылов. – Тут у них хрена лысого прорвешься, чтоб тебя не заметили.

– Командир, слышишь, – обратился к нему один из бойцов. – Разреши я с другой стороны посмотрю. Может быть, там есть лазейка...

– Сомневаюсь я. Но давай, попробуй обойти вокруг.

Вернулся боец спустя пятнадцать минут.

– Ну, что там? – спросил его Крылов.

– Глухо. Та же история. Что делать будем?

– Значит, так, мужики. – Крылов собрал вокруг себя всех разведчиков. Они укрывались в небольшой ложбине между плоскими сопками. – Вариант только один – попробовать незаметно проникнуть на территорию объекта и, в случае собственного обнаружения, принять бой. Главное – успеть заложить взрывчатку и замкнуть общую линию по взрывателям.

Что сейчас предложил старший лейтенант Алексей Крылов своим людям? Не надо никого обманывать. Он открыто предложил им умереть. Умереть, но выполнить боевой приказ.

– Ты понимаешь, командир, что нас слишком мало? – спросил его тот боец, что разведывал местность с противоположной стороны.

– Я-то понимаю, – ответил ему Крылов. – И если мы ввяжемся в бой, то – к гадалке не ходи – все здесь ляжем.

Но я хочу, чтобы и вы понимали: нельзя отсюда уйти, не выполнив поставленную перед нами задачу.

– Да ладно, чего тут думать? – подал голос еще один из разведчиков. – Мы сюда приперлись не для того, чтобы в последний момент отступить. Я лично за то, чтобы прорываться к объекту.

– Голосовать будем, что ли? – отозвался другой. – Вперед надо идти – и точка.

– Смотрите, мужики, – снова заговорил командир. – Каждый может отказаться. Тут дело такое...

Из пятерых не отказался никто.

Рассредоточившись в ночи, диверсанты поползли к колючей проволоке.

Вот уж точно – как по лезвию самурайского меча, продвигались они к своей цели. Первый рубеж был пройден успешно – в колючей проволоке проделали грамотный проход.

Но когда группа оказалась между проволочными ограждениями, с двух сторон вспыхнули яркие прожекторы, а с караульной вышки ударил крупнокалиберный станковый пулемет.

Разведчики, за плечами которых была еще и взрывчатка, ответили автоматным огнем.

Вой тревожной сирены разрезал и без того переполошенную ночь.

Караульная рота, охраняющая базу «Отряда 731», была в полном составе поднята по боевой тревоге.

Назад дороги у наших ребят не было. Впереди их ждала верная смерть.

Глава 7

КОШМАР ПОЛКОВНИКА КИОТО МАВАРИ

1945 год, 3–4 августа. Москва. Кремль.

Следуя старой привычке, Сталин работал по ночам. Утром и в первой половине дня отсыпался. К вечеру в Кремле вновь начинала бурлить полноценная жизнь центрального аппарата правительства. Ближний круг и руководители – как теперь говорят – силовых ведомств давно к этому привыкли.

Вот и в эту ночь – с 3 на 4 августа – генералиссимус Сталин вызвал к себе Берию, Абакумова и Судоплатова. Все трое явились немедленно.

КРАТКИЕ БИОГРАФИЧЕСКИЕ СПРАВКИ:

Берия Лаврентий Павлович *родился 17 марта 1899 года в селе Мерхеули Сухумского района Абхазской АССР. Грузин. В 1919 году окончил Бакинское среднее механико-строительное техническое училище. В 1921–1931 гг. в органах разведки и контрразведки, зам. председателя Азербайджанской ЧК, председатель Грузин-*

ского и Закавказского ГПУ, представитель ОГПУ в ЗСФСР. С 1931 г. первый секретарь ЦК КП(б) Грузии, одновременно с 1932 г. – Закавказского крайкома и Тбилисского горкома партии. В 1938–1948 гг. и марте–июне 1953 г. нарком (министр) внутренних дел СССР, одновременно в 1941–1946 гг. зам. Председателя СНК СССР. С 1946 г. зам. Председателя, а в марте – июне 1953 г. первый зам. Председателя Совмина СССР. Депутат Верховного Совета СССР 1–3 созывов. Герой Социалистического Труда (1943 г.). Маршал Советского Союза (1945 г.), Генеральный комиссар государственной безопасности (1941 г.). 26 июня 1953 г. снят с постов и арестован. На июльском (1953 г.) Пленуме ЦК выведен из состава ЦК и исключен из партии как враг Коммунистической партии и советского народа. 23 декабря 1953 г. специальным судебным присутствием Верховного суда СССР приговорен к расстрелу и в тот же день расстрелян.

Абакумов Виктор Семенович *родился в апреле 1908 года в Москве. Сын истопника. Образование получил в 4-классном городском училище (1921г.). В 1921–1923 гг. служил санитаром во 2-й Московской бригаде частей особого назначения (ЧОН). С 1924 г. – рабочий; в 1925–1927 гг. упаковщик Московского союза промысловой кооперации, в 1927–1928 гг. стрелок 1-го отряда военно-промышленной охраны ВСНХ СССР, в 1928–1930 гг. упаковщик складов Центросоюза. В 1930 г. вступил в ВКП(б).*

В 1932 г. в числе других комсомольских работников переведен в ОГПУ «для усиления», во время постоян-

ных чисток органов сделал быструю карьеру: в 1932–1933 гг. практикант экономического отдела полномочного представительства ОГПУ по Московской области, в 1933–1934 гг. оперуполномоченный 3-го отдела экономического управления ОГПУ (с 1934 г. – НКВД СССР).

С 25.2.1941 г. зам. наркома внутренних дел СССР и одновременно, с 19.7.1941 г., начальник Управления особых отделов.

Возглавляемое Абакумовым управление осуществляло руководство деятельностью органов государственной безопасности в Советской армии и флоте, а также внутри вообще всех вооруженных формирований (милиция, внутренние войска, пограничные войска). 19.4.1943 г. особые отделы были выведены из НКВД СССР, и под началом Абакумова создано Главное управление контрразведки «Смерш», одновременно Абакумов стал зам. наркома обороны СССР, перейдя, таким образом, в непосредственное подчинение к Сталину.

На выездном заседании Военной коллегии Верховного суда СССР, состоявшемся в Ленинграде 12–19 декабря 1954 г., Абакумов был обвинен в фабрикации судебных дел, в том числе «ленинградского дела», и других должностных преступлениях, назван «членом банды Берии».

Виновным себя не признал, заявив: «Сталин давал указания, я их исполнял».

Суд признал Абакумова виновным в измене Родине, вредительстве, совершении терактов, участии в контрреволюционной организации и приговорил к смертной казни.

Судоплатов Павел Анатольевич *родился в 1907 году. Один из руководителей органов государственной безопасности, генерал-лейтенант. В 1939–1941 гг. зам. начальника отдела Главного управления государственной безопасности НКВД СССР. В 1941 г. зам. начальника 1-го Главного управления НКВД СССР.*

Вскоре после начала Великой Отечественной войны во главе с Судоплатовым в НКВД СССР была создана Особая группа при наркоме, в задачу которой входило проведение диверсий, терактов в тылу противника. Кроме того, Судоплатов осуществлял контроль за всем партизанским движением со стороны НКВД.

3.10.1941 г. группа Судоплатова преобразована во 2-й отдел, а 18.1.1942 г. – в 4-е управление НКВД СССР с соответствующим расширением его полномочий. После войны Судоплатов 22.5.1945 г. был назначен нач. только что созданного отдела «Ф» НКВД СССР. В его обязанности входила «работа на территории стран, освобожденных Красной Армией от противника».

27.9.1945 г. под руководством Судоплатова был организован отдел «С», которому было поручено добывание и обобщение данных по созданию ядерного оружия, заместителями Судоплатова стали генерал-лейтенанты Н. С. Сазыкин и А. Кобулов, генерал-майор Н. И. Эйтингон. 10.1.1946 г. отдел Судоплатова передан в ведение НКГБ СССР.

В 1951–1952 гг. начальник Бюро № 1 МГБ СССР.

В 1952 г. арестован.

После смерти И. В. Сталина освобожден и назначен зам. начальника 2-го (разведка за границей) Главного управления МВД.

По личному указанию Л. П. Берии Судоплатов сформировал в МВД СССР 9-й отдел, который должен был заниматься проведением актов индивидуального террора и диверсий. Фактически новое подразделение должно было стать главной ударной силой Берии в борьбе за власть в СССР.

После падения Берии 31 июля отдел был ликвидирован, т. к. выяснилось, что Берия о создании отдела не информировал ЦК КПСС и даже кадры подбирал без согласования с Управлением кадров МВД.

В августе 1953 года Судоплатов был арестован. Симулировал помешательство и до 1958 года находился в психиатрической больнице.

В 1958 году приговорен к 15 годам лишения свободы. В 1968 году освобожден.

Награжден орденом Ленина, тремя орденами Красного Знамени, орденами Суворова и Отечественной войны, двумя орденами Красной Звезды, многими медалями, а также нагрудным знаком «Заслуженный работник НКВД».

В январе 1992 года реабилитирован.

Скончался в 1996 году.

В 1998 году Президент Российской Федерации подписал Указ о восстановлении генерал-лейтенанта Павла Анатольевича Судоплатова посмертно в правах на государственные награды в связи с его реабилитацией.

– Товарищи генералы, – Сталин выглядел предельно сосредоточенным, бодрым и как будто хорошо отдохнувшим, хотя все знали, что степень его напряжения в те дни была запредельной, – Советский Союз сегодня как никогда раньше близко подошел к порогу войны с милитаристской Японией. Войска Дальневосточного округа готовы в любую минуту атаковать противника. Корабли Тихоокеанского флота приведены в состояние повышенной боевой готовности, и запланированная Курильская десантная операция должна начаться одновременно с боевыми действиями на территории Маньчжурии. Предлагаю вам еще раз ознакомиться со стратегическими разработками маршала Василевского и адмирала Кузнецова, которым поручено руководство военной кампанией на Дальнем Востоке. Хочу, чтобы каждый из вас сделал свои последние замечания.

Все трое углубились в чтение документов, которые к тому времени, наверное, знали уже наизусть. Хотя у каждого из них складывалось впечатление, что не за этим вызвал их генералиссимус. Накануне военных действий он решил в свое удовольствие поиграть шахматными фигурами, время от времени сталкивая их лбами. Такое уже бывало не раз.

Но пока что Сталин молчал. Генералы листали документы, касающиеся в большей степени не их, а непосредственно фронтовых генералов и адмиралов флота. Молчание вождя и, в общем-то, бесполезное шуршание бумагами продолжались около часа.

– Товарищ Судоплатов, – неожиданно подал голос Сталин. – А что нам известно о готовности японских милитаристов применить на Дальневосточном плацдарме биологическое оружие? Все на прежних позициях, да? Нам к ним никак не подобраться, да? Мы с вами, как дети, плотно укутанные в обосранные пеленки, да?

– В ближайшее время, товарищ Сталин, должна быть реализована операция по уничтожению этого оружия на одной из секретных баз, расположенных в окрестностях города Харбин, – ответил генерал Судоплатов.

Голос Павла Анатольевича выдавал его внутреннюю тревогу. Отвечая, он понимал, что этот доклад не устроит Сталина. В преддверии наступления наших войск не было определенности в вопросе, готовы ли японцы обрушить на наши войска, да и на всю территорию Дальнего Востока тонны биологической заразы. Это обстоятельство могло поставить под сомнение стратегический успех армии и флота и, кроме того, грозило катастрофическим заражением всей территории Дальнего Востока и Приморья.

– В ближайшее время, говорите? – Сталин искоса посмотрел на генерала. – А что, по-вашему, такое «ближайшее время»?! Неделя? Месяц? Год? Или, может быть, сто лет?! Я не намерен ждать! Ваши диверсанты в тылу врага не работают, а жуют сопли!

– Разрешите доложить, товарищ генералиссимус? – обратился к Сталину генерал-лейтенант Абакумов.

– Если вы, товарищ Абакумов, – Сталин перевел тяжелый взгляд на него, – собираетесь мне доложить так же, как генерал Судоплатов, то лучше молчите.

Но Абакумов не стал молчать:

– После того, товарищ Сталин, как агент Ахиллес передал нам точные сведения о месте расположения биологического «Отряда 731», данные требовали перепроверки. Это закон разведки. Сразу же после того, как мы убедились в существовании этого подразделения, для выполнения специального задания туда была отправлена разведывательно-диверсионная группа. Пять человек десантировались на территорию Кореи с подводной лодки у берегов Японского моря. Уверен, что сейчас они активно действуют и непременно добьются успеха.

– Подводную лодку вы, товарищ Абакумов, погубили вместе с экипажем. И потом, я бы не стал на вашем месте, Виктор Семенович, так смело ручаться за людей, – тихо и с некоторой насмешкой заговорил Берия. – В свое время вы точно так же были уверены в агенте, которого называете Ахиллес. А между тем всем нам хорошо известно, что этот ваш Ахиллес, под именем которого в донесениях скрывается полковник Журбин, не выполнил поставленную перед ним задачу.

– Вы, Лаврентий Павлович, имеете в виду операцию по похищению офицера японской разведки?

– И это – тоже, – ухмыльнулся Берия.

– Тем не менее, – снова заговорил Абакумов, – за короткое время работы в Харбине полковник Журбин передал нам очень много важной информации о деятельности японских разведшкол, истинном значении русской фашистской организации, существующей на территории Маньчжурии. В конце концов, оперативными группами «Смерш» в нашем тылу задержаны японские диверсанты. И это тоже заслуга полковника государственной безопасности Журбина.

– Не преувеличивайте, – сказал Берия. – Не один Журбин проделал всю эту работу. Много людей трудилось, чтобы добыть необходимую нам информацию. Тем более что мне известны и другие «заслуги» вашего любимчика. Вспомним хотя бы, что он дошел до того, что связался в Харбине с какой-то китайской шлюхой, которую потом вы по его просьбе вынуждены были эвакуировать в СССР.

– Да, – без колебаний признался Абакумов. – Я лично отдал распоряжение организовать переправку Миа Чунь Ли на территорию Советского Союза. Потому что она своими действиями спасла нашему разведчику жизнь, а сама при этом смертельно рисковала.

– Тут все смертельно рискуют, – вновь заговорил Сталин. – И даже вы, товарищи, тоже рискуете...

Со стороны могло показаться, что вождь с удовольствием наблюдал за перепалкой, которую сам же спровоцировал между высокими руководителями. Правильно, они не должны дружить между собой. Гораздо спокойнее для главы государства держать этих людей в состоянии постоянного соперничества, конкуренции и конфронтации. Зато каждый из них будет преданно служить ему, великому Сталину.

– И хватит об этом, – продолжил генералиссимус. – Если Журбин действительно Ахиллес, то есть неуязвимый, и вернется со своего задания живым и невредимым, разберетесь с ним в Москве сами. Не впутывайте меня в ваши дела.

Неизвестно, как оценили слова Сталина Абакумов и Судоплатов, но для Берии это фактически была команда к действию.

Лаврентий Павлович недолюбливал Абакумова за близость к вождю. Судоплатова – за сотни блестяще проведенных операций в тылу противника и неуклонно возрастающий авторитет. А полковник Журбин, который, попросту говоря, подвернулся сейчас под руку, мог сыграть роль пешки – одним махом поставить под сомнение все предыдущие успехи Абакумова и Судоплатова. Хорошо бы еще японцы успели применить биологическое оружие. Тогда хитрый Лаврентий без особого труда обвинил бы этих двух генералов в очковтирательстве и свернул им шеи.

Даже тот факт, что Журбин не сумел похитить из Харбина полковника Киото Мавари, оказался бы Берии на руку. Главное – чтобы Журбин вернулся в Москву, чтобы не погиб бездарно там, на Дальнем Востоке, и не пришлось бы из него посмертно делать героя.

Хотя звание Героя Советского Союза контрразведчику Журбину уже и присвоили, но с живого человека Золотую Звезду всегда можно сорвать одним резким движением. В этом Лаврентий был убежден на все сто процентов.

* * *

1945 год, 3–4 августа. Китай. Маньчжурия. Поселок Пинфань провинции Биньцзян, в двадцати километрах южнее города Харбина. База «Отряда 731».

...Крупнокалиберный пулемет с караульной вышки бил по нашим диверсантам без остановки.

Метрах в двухстах уже показались японские солдаты, бегущие от своих казарм к месту проникновения на секретный объект посторонних лиц.

Пятеро бойцов отдельной мотострелковой бригады, попавшие в западню, отчаянно отстреливались, маневрируя на ограниченном участке местности и умудряясь не попадать под пули.

Алексею Крылову удалось подобраться к пулеметной вышке. Не думая в тот момент ни о какой опасности, он быстро полез по лестнице вверх и вскоре был уже на площадке, откуда бил пулемет.

Еще через секунду пулеметчик с криком полетел вниз. Высота была сравнительно небольшой, и солдат, упав на землю, остался жив. Он хотел вскочить на ноги, но один из наших разведчиков дал по нему короткую автоматную очередь.

А с вышки пулемет, замолчав лишь на мгновение, вновь начал бить. Но теперь уже не по нашим, а по японцам. Потому что за пулеметом находился старший лейтенант Крылов.

Четверым бойцам, оставшимся внизу, стало значительно легче. Они тут же рассредоточились, заняли выгодные позиции и повели по японцам короткий прицельный огонь.

Получив небольшую передышку, Алексей Крылов взял в прицел сначала один, а потом и второй прожекторы, освещающие местность вокруг. Желтых лучей, благодаря которым наши солдаты как на ладони беспомощно барахтались перед противником, не стало.

Один из бойцов уже разрезал большими специальными ножницами второй ряд колючей проволоки – внутреннее ограждение по периметру. Трое продолжали вести прицельный огонь, одновременно готовясь к стремительному броску внутрь базы.

В пулемете, из которого стрелял старший лейтенант Крылов, кончились патроны, и Алексей рванул по лестнице вниз, чтобы помочь своим товарищам на земле.

Но стоило ему только ступить на лестничный марш, как японский снайпер, что называется, снял его одним выстрелом.

Тело командира группы безжизненно рухнуло на землю с высоты двух с половиной метров, прямо под ноги его бойцам.

– Вперед, мужики!!! – громко закричал кто-то из оставшейся в живых четверки.

Группа пошла на прорыв.

В наседающих японцев полетели ручные гранаты. Всего за несколько мгновений русским диверсантам удалось прорваться на территорию базы.

И снова автоматный огонь в обе стороны.

Но солдаты из роты охраны были уже совсем близко. Как взбесившиеся муравьи наползали они отовсюду. Ввязываться в рукопашную схватку, не добравшись до железобетонного «колпака», прикрывающего подземный бункер, в котором находилась злосчастная лаборатория, было в данной ситуации недопустимо.

Тот, кто принял после гибели Крылова командование группой на себя, нашел единственно верное решение.

– Взрыватели к бою!!! – заорал он во все горло.

Бойцы, побросав автоматы, схватились за мешки с взрывчаткой и, на бегу раскрывая их, принялись приводить в боевое положение связки динамитных шашек, ввинчивая в них взрыватели-запалы.

Уже на последних метрах, вплотную приблизившись к бункеру, они буквально расталкивали японцев руками и ногами, грызли их зубами и, кому удавалось, вспарывали кинжалами. Но неуклонно продвигались вперед.

Первым входа в бункер достиг солдат, принявший на себя командование.

Автоматная очередь прошила ему спину крест на крест. Он упал, теряя сознание, но в последний момент успел привести в действие взрывной механизм.

Прогремел взрыв, и воина, на груди которого как раз находился мешок с взрывчаткой, разорвало в мелкие клочья. Но вместе с ним была взорвана и тяжелая металлическая дверь, ведущая в подземелье. В этот подземный ход немедленно устремились трое живых бойцов.

Японские солдаты стреляли им вслед и всех тяжело ранили. Бежать вниз, туда, где хранились смертоносные вирусные бактерии, никто из самураев не решился.

Зато наших уже ничто не могло остановить. Каждый из них, умирая, успел привести в действие свой взрыватель. И случилось это уже в самой лаборатории. Три взрыва слились в один.

И в то же самое мгновение в глубоком подземелье начался ад. Разрывы мин и снарядов следовали один за другим. Это детонировали артиллерийские запасы, приготовленные здесь японцами на тот случай, если лабораторию и примыкающие к ней склады необходимо будет срочно уничтожить.

Тот из людей, кто оставался в это время на поверхности земли, видел, как высоко в небо подбросило многотонный железобетонный «колпак», а из недр земли вырвалось пламя размерами с боевой крейсер.

Земля содрогалась в судорожной тряске, как будто на землю Маньчжурии обрушился невероятной силы Цунами. На несколько километров вокруг бункера вся территория была охвачена огнем, который не унимался до самого рассвета.

ШИФРОГРАММА:

«Москва. Центр.

В ночь с 3 на 4 августа 1945 года действиями разведывательно-диверсионной группы, проникшей на территорию секретной военной базы "Отряда 731" лаборато-

рия и склады с хранившимися на них запасами биологического оружия уничтожены путем взрыва.

Личный состав боевой группы и ее командир – старший лейтенант Алексей Крылов – в ходе выполнения задания геройски погибли.

От "Ахиллеса" и "Племянника" известий нет. О месте их пребывания ничего не известно.

С учетом активизации деятельности на территории Маньчжурии подразделений японской разведки и контрразведки, предполагаю гибель или арест "Племянника" и "Ахиллеса".

Жду дальнейших указаний.

"Брат"».

Эту шифровку уже вечером следующего дня в Москву отправил человек, которого в Харбине знали под именем Бориса Рийзмана.

* * *

1945 год, 3–4 августа. Китай. Маньчжурия. Селение Фунчу близ советско-китайской границы.

...– Повторите, что вы только что сказали?! – изумленно произнес полковник Киото Мавари.

– Я сказал, господин полковник, что мои планы по переходу границы не совпадают с вашими, – ответил я так же нагло, как сообщил ему эту новость впервые минуту назад.

Неудивительно, что и Киото, и Фудзинаи тут же взяли меня на прицел.

– Оставьте это никчемное занятие, – пренебрежительно покосился я на вороненые стволы. – Не нужно здесь бряцать оружием, полковник. Не в ваших интересах устраивать в пограничной зоне стрельбу.

– Вы что, – хрипло проговорил он, – отказываетесь идти на противоположную сторону?!

– Ну почему же, – улыбнулся я в ответ. – Я так не сказал.

– Тогда говорите, черт вас побери, что вы задумали?! Что за фокусы такие в последний, решающий момент?!

Я держал нужную паузу.

– Не тяните же время! – Киото Мавари буквально взбесился. – Если я не пристрелю вас сейчас, то прирежу, как свинью, можете не сомневаться!

– И этого вы не сделаете, полковник, – продолжал я упорствовать. – Потому что у нас с вами задача несколько другая.

– Так, негодяй, – зашипел Киото Мавари. – У тебя есть еще пять секунд, чтобы изложить мне свое мнение... – И он, сунув пистолет обратно в кобуру, схватился за рукоять самурайского меча. Похоже было на то, что полковник на самом деле собирается меня здесь прирезать.

– Господин полковник, – капитан Фудзинаи приблизился ко мне вплотную и больно ткнул стволом пистолета под ребра. – Он предатель. Не стоит с ним долго разговаривать. Разрешите, я прикончу его?

– Подождите, капитан, – ответил Киото Мавари. – Пусть напоследок выскажется. Я хочу выслушать его мнение.

– Да какое мнение?! – простецки воскликнул я. – Никто никуда идти не отказывался! Но просто вы сейчас посылаете меня вперед, а сами остаетесь здесь. До границы еще топать и топать. А вдруг там, – я махнул рукой в сторону рубежа, – мне встретится кто-то из ваших солдат?! Меня же на куски порвут с советскими документами на руках!

В моих словах была определенная логика. До пограничной полосы оставалось не менее полутора километров. А вокруг – ночь. Разве мог гарантировать полковник Киото Мавари, что его приказ – очистить «коридор» – будет выполнен на все сто процентов? Нет, не мог. И времени, чтобы ждать или уговаривать меня, у него уже не было. На левом фланге в ближайшие минуты должны были начать свой прорыв боевики БРЭМа.

– Извините, полковник, – снова заговорил я, – но вы вместе с капитаном Фудзинаи просто обязаны до конца обеспечить мою безопасность и проводить меня до самой границы. Мне останется только перемахнуть на противоположную сторону, а уж там – сохранить себе шкуру – моя забота.

– Ладно, – произнес Киото Мавари, коротко взглянув на капитана Фудзинаи. – Он прав. Пойдемте к самой границе.

И тут в ночи трижды тоненько просвистел сурок.

– Что это?! – насторожился Киото Мавари.

– Сурок, – пояснил капитан Фудзинаи.

– Какой может быть сурок среди ночи? – пожал Киото Мавари плечами и начал движение к пограничной полосе.

Я знал этого «сурка»! Знал, крокодил меня раздери!!! Это же Николай! Колька Каблуков подавал мне знак, что с ним все в порядке и этой ночью он где-то совсем рядом со мной!

Настроение мое улучшилось. Да что там «улучшилось»?! Я готов был просто-таки плясать от радости!

А «сурок» свистнул еще раз, когда я, полковник Киото Мавари и капитан Фудзинаи залегли на сопках в пятистах метрах от советской территории.

До родной земли было рукой подать...

* * *

1945 год, 3–4 августа. Советско-китайская граница. Район дислокации передовых частей Красной Армии.

Полковник Ватрушев и начальник штаба полка подполковник Ушуров проводили на границе последние приготовления к встрече Журбина, который должен был появиться с сопредельной стороны этой ночью.

– Думаете придет, товарищ полковник? – спрашивал Ушуров, когда они только выдвигались к передовой, используя для этого единственную машину особого отдела – американский «виллис» с открытым верхом.

– Я в данном случае не думаю, подполковник, а целиком и полностью полагаюсь на донесение Ахиллеса о сроках его пересечения границы.

Автомобильчик с жесткими рессорами нещадно трясло на грунтовой дороге, но он упорно высвечивал желтыми зрачками фар ночную темень и, раззадоренно урча мотором, буквально скакал по ухабам к пограничной территории.

– Какова наша с вами задача, товарищ полковник? – Ушуров сидел за рулем и задавал вопросы, не поворачиваясь к Ватрушеву, поэтому не мог заметить недовольного выражения его лица. Полковник двумя руками держался за передний поручень, чтобы при очередной встряске не вылететь из машины, но все же ответил:

– Если все пойдет благополучно, принять Ахиллеса на нашей стороне и скрытно увезти его с глаз долой. Не по этой дороге, разумеется. Она, как я заметил, упирается в армейские позиции.

– Да, конечно, товарищ полковник, – с готовностью подхватил тему Ушуров. – Я еще вчера в соответствии с вашим распоряжением дал указание саперам расчистить старую просеку, которой давно никто не пользовался. По ней мы проскочим напрямую в глубь нашей территории и окажемся почти в сорока верстах от рубежа. Пройдем, так сказать, в стороне от постов и районов размещения личного состава.

– Это нам подходит, – одобрил Ватрушев.

– Вы сказали, товарищ полковник, «если все пройдет благополучно». А если нет? Тогда – что?

– Вот тогда нам и понадобятся бойцы заградительной комендатуры, которых мы с тобой сейчас и проверим.

По указанию полковника Ватрушева от узкого участка пограничной территории на короткое время были оттянуты все общевойсковые – пехотные, танковые и артиллеристские – подразделения. Их места заняли военнослужащие из специальных частей, подчиненных органам государственной безопасности.

Ни одна живая душа не должна была видеть лицо Ивана Журбина, которого этой ночью с нетерпением ждали на нашей земле. Только для солдат заградительной комендатуры, подчиненной контрразведке «Смерш», делалось исключение. Их выдвинули на передовую и посадили в окопы на случай, если планы Ахиллеса сорвутся. Точнее, если японцы решат нас обмануть и пойдут в этот «коридор» на вооруженный прорыв.

– Вы полагаете, товарищ полковник, япошки способны на такую наглость?

– Всякое может случиться, подполковник. Может быть, Ахиллес давно уже погиб или находится у них в плену и сеансы радиосвязи шли под контролем японской контрразведки. Допускаешь такую мысль?

– Не знаю... – уклончиво ответил Ушуров. Они почти уже выехали к передовой.

– А я знаю. Информация о переброске через границу Ахиллеса вполне может оказаться ложной. И прошла она к нам лишь для того, чтобы мы тут с тобой радушно распахнули ворота и с выражением лиц типа «добро пожаловать» встретили на оголенном участке государственной границы пару сотен японских штурмовиков. Соображаешь?

Чтобы быть достаточно объективным, нужно заметить, что особист Ушуров, работающий в органах контрразведки на уровне всего лишь пехотного полка, не был склонен к изыскам тонкой оперативной игры. Он не особо разбирался в тонкостях противоборства спецслужб на высоком уровне, но старался честно делать свою работу – выискивать предателей среди личного состава полка, предупреждать дезертирство, обеспечивать защиту от утечки служебной и секретной информации. Имел в каждой роте своих «стукачей»-осведомителей. Знал, кто из офицеров полка с какой санитаркой из медсанбата спит. Важно высиживал штабные совещания и, когда ему предоставляли слово (а предоставляли обязательно, как официальному представителю госбезопасности), нудно инструктировал взводных, ротных и батальонных командиров насчет правил хранения тактических карт и соблюдения высочайшей бдительности.

Впрочем, не имея высоких амбиций, подполковник справедливо полагал, что в этом мире каждому дано свое. Кто-то работает в глубоком тылу противника и добывает информацию, способную в одну минуту изменить ход мировой истории, кто-то – в нашем тылу – проводит хитроумные многоходовые операции и разоблачает безупречно законспирированных вражеских агентов. А кому-то – как, например, Ушурову – поручено партией и правительством сторожить государственные секреты на очень маленьком участке и не залезать в дебри большой разведки и контрразведки.

К чести подполковника Ушурова, он не создавал искусственно шпионов и врагов народа, как это делали некоторые из его коллег и в результате окончательно опорочили в тот период органы государственной безопасности. Не раз получал нагоняй от вышестоящего начальства за отсутствие «результата». За весь период войны – а воевал Ушуров в этом полку с сорок первого года – всего двух солдат он отправил в штрафной батальон за мародерство и одного нерадивого капитана-интенданта подвел к разжалованию в рядовые за спекуляцию тушенкой. Зато при каждом наступлении Ушуров шел в атаку с автоматом наперевес вместе с теми же взводными и ротными, а в обороне бился до последнего патрона и с одной гранатой бросался на вражеский танк, за что и был уважаем однополчанами.

– Да, – повторил полковник Ватрушев, – японцы вполне могут заделать нам на этом участке провокацию. Если, конечно, они «раскололи» Ахиллеса и знают, что мы будем ждать его на нашей территории.

«Виллис» остановился. Подполковник Ушуров заглушил мотор.

– Приехали, товарищ полковник. Дальше – пешком.

Но пешком им пришлось пройти совсем немного – метров пятьсот.

Тут же, как из-под земли, выросли из темноты четыре фигуры.

– Стой! Кто идет? Пароль? – зловеще прошептали они возле самых ушей и воткнули подполковнику и полковнику в ребра автоматные стволы.

Секретные посты заградительной комендатуры работали исправно. Ни Ватрушев, ни Ушуров не заметили, как были мгновенно разоружены и уложены на землю. Лишь после проверки документов им позволили подняться на ноги.

– Молодцы, мужики! – похвалил полковник. – Вот так дальше и работайте. А мы с подполковником пойдем на «передок».

«Передком» на фронте называли передний край обороны или подготовленного рубежа для наступления.

Уже через три минуты подполковник и полковник залегли у самой кромки государственной границы СССР.

На Маньчжурской территории было темно и тихо, как на кладбище.

* * *

1945 год, 3–4 августа. Китай. Маньчжурия. Участок советско-китайской границы левее селения Фунчу.

Офицер японской военной миссии инструктировал группу боевиков БРЭМа перед заброской на советскую территорию.

– Запомните, господа, – говорил он, расхаживая перед диверсантами, одетыми в форму бойцов Красной Армии. – На ваши сильные плечи возлагается особая миссия. Вам поручено скрытно пересечь границу и углубиться на территорию СССР. Командир группы!

– Я, господин майор! – четко ответил один из лазутчиков.

– Повторите задание.

– В советском тылу мы должны встретиться с вашим агентом, господин майор, который вручит мне пакет с приказом о дальнейших действиях.

– Покажите мне на карте район, в который вы выйдете после броска через границу.

Командир группы ткнул пальцем в крупномасштабную топографическую карту.

– Совершенно точно, – похвалил его майор. – Но только знайте, господа, – обратился он ко всем сразу. – Если попадете в руки советских пограничников или контрразведки, вас всех ожидает долгая и мучительная смерть под пытками. Поэтому вы должны отстреливаться до последнего.

– Мы готовы умереть! – гордо заявил командир диверсионной группы.

– Я в этом уверен, – снисходительным тоном ответил майор японской разведки. – Но, на всякий случай, посмотрите туда. – Он указал себе за спину.

Все диверсанты обратили взоры в указанном направлении.

В двадцати метрах от них залегла цепь пулеметчиков – японцы из отряда смертников.

– Здесь двадцать пулеметов, – пояснил майор. – Они будут без жалости расстреливать каждого из вас, кто струсит и попытается вернуться сюда, в Маньчжурию. Так что, как понимаете, обратного пути у вас нет.

Лица шпионов побледнели. Это было видно даже в темноте.

– Ну, как говорят у русских, с богом, господа! – напутствовал майор группу «брэмовцев».

С опаской зайцев, пробирающихся на чужое капустное поле, отряд диверсантов пошел к советской территории...

Японский майор, не дожидаясь, когда они приблизятся к запретной зоне, развернулся и спокойно двинулся в обратном направлении. Вскоре где-то в темноте заурчал мотор его автомобиля, который, резво набирая обороты, покатился в Харбин.

Пулеметчики-смертники хладнокровно взяли в свои прицелы людей, которые пока еще шли к границе.

* * *

1945 год, 3–4 августа. Китай. Маньчжурия. Участок советско-китайской границы в районе селения Фунчу.

– Пора, господин полковник, – тихо проговорил капитан Фудзинаи, вглядываясь в ночную темень и стараясь хоть что-то разглядеть на противоположной стороне границы.

– Нет, – возразил Киото Мавари. – Еще четыре минуты.

Я лежал на пограничном рубеже вместе с ними и дрожал всем своим телом. Нет, не от страха, а от высшей степени нервного напряжения. Перед решающим броском у меня всегда наступал короткий мандраж. Но он исчезал сразу же, как только начинались конкретные действия. И сейчас я ждал этих действий.

Где-то рядом, без сомнения, притаился невидимый «сурок» – старший лейтенант советской контрразведки Николай Каблуков, который должен был мне помочь довести намеченный план до конца. Я верил, что Коля не подведет и сделает все так, как мы с ним наметили.

– Вы все хорошо помните? – спросил меня полковник Киото Мавари. – Главное, не задерживайтесь в приграничной зоне. Сразу же после перехода кордона уходите в глубь территории. И не забудьте про овраг. Там вас обязательно найдет мой человек. Это надежный человек, господин Кегельбаум, верьте мне.

– Я верю вам, господин полковник, – ответил я. – Иначе бы вы меня ни за какие коврижки не втянули в эту авантюру.

– Берегите капсулы, – продолжал Киото Мавари. – В них – страшная инфекция. И поэтому ваш смертоносный груз ни при каких обстоятельствах не должен быть распечатан раньше времени. Это в ваших же интересах.

И тут мы услышали, как на левом фланге границы застрекотали автоматные очереди.

Без сомнения, под огонь пограничников попали боевики БРЭМа, которые должны были отвлечь на себя внимание подразделений, охраняющих этот участок.

Киото Мавари уже готов был подтолкнуть меня в спину и приказать: «Пошел!». Но тут в глубоком Маньчжурском тылу раздался бешеной силы взрыв. Всех нас троих как будто приплющило к земле. А высоко в небо взметнулся ослепительный столб пламени.

– Что это такое?! – в ужасе закричал по-японски полковник Киото Мавари.

По первому впечатлению можно было подумать, что началось неслыханной силы землетрясение, вызвавшее вселенский пожар. Взрывы со стороны Харбина усиливались, все небо сплошь стало покрыто ярко-красными и сине-желтыми сполохами огня.

А еще так гремят взрывы при массированном артиллерийском ударе. И я бы подумал, что это наши артиллеристы-дальнобойщики разом ударили по Харбину. Подумал бы, если бы не знал наверняка, что никакая это не артиллерия. Шквал нахлынувшей радости чуть было не разорвал мое уставшее от передряг сердце.

Это же наши диверсанты рванули к чертям свинячьим лабораторию и склады «Отряда 731»!

– Господин полковник! – уже не таясь закричал капитан Фудзинаи. – Это взрывают где-то возле Харбина!

– Я сам вижу, что возле Харбина! – огрызнулся Киото Мавари. – Но где именно?!

– Неужели «Отряд 731»? – растерянно предположил Фудзинаи.

– Проклятье!!! – диким зверем заорал полковник Киото Мавари.

Таким образом, я на несколько секунд остался беспризорным. Полковник и капитан, ошарашенные увиденным, вовсе забыли о моем существовании. И я мог их понять. Им еще предстояло вернуться в Харбин и разбираться там, что это за взрывы такие и кто виновен в случившемся.

Мне же разбираться было не с чем. Я знал наверняка: мое сообщение с координатами «Отряда 731» благополучно получено Москвой и что приняты меры по ликвидации этого гадского отряда.

Очень хорошо! Продолжим разговор!

– Полковник! – Я потряс Киото Мавари за плечо.

Но он как будто не видел меня. Стоял на коленях, то и дело судорожно хватался за рукоять своего самурайского меча и злобно сверкал глазами.

А где-то далеко продолжало громыхать.

* * *

1945 год, 3–4 августа. Советско-китайская граница. Участок дислокации подразделений Красной Армии правее маньчжурского селения Фунчу.

Пограничные наряды еще месяц тому назад были усилены подразделениями фронтовой разведки и заградительных комендатур, подчиненных военной контрразведке «Смерш».

Кроме того, в самом ближнем тылу, если можно назвать тылом линию, находящуюся от пограничных столбов на расстоянии пятьсот метров, были развернуты в боевые порядки пехотные роты, попеременно несущие круглосуточное дежурство.

В таких условиях приблизиться с сопредельной стороны к нашим рубежам было невозможно ни днем, ни ночью, при любых погодных условиях. Если говорят, что мышь не проскочит, то это как раз в тему. Тут не то чтобы мышь полевая, а даже червяк дождевой не имел никаких шансов.

Естественно, как только с маньчжурской территории тронулась группа «брэмовских» диверсантов, об их движении немедленно стало известно на командном пункте.

– Задержать! – поступило распоряжение.

Но когда секреты и дозоры пограничников попытались выполнить эту команду, нарушители границы открыли по ним шквальный огонь.

Перестрелка длилась несколько минут, и никто из диверсантов сдаваться в плен не собирался. Пограничники били бы по ногам, но противник залег, занял оборону на неподготовленном рубеже и яростно отстреливался.

– Уничтожить! – прозвучал следующий приказ с командного пункта.

Часть наших бойцов немедленно переместилась восточнее и перекрыла диверсантам пути отхода назад, на сопредельную территорию.

В следующую секунду в нарушителей полетели ручные гранаты.

Очень скоро все было кончено. Трупы несостоявшихся диверсантов солдаты за ноги поволокли к зданию пограничной заставы.

* * *

1945 год, 3–4 августа. Китай. Маньчжурия. Участок советско-китайской границы в районе селения Фунчу.

– Да очнитесь же, полковник! – Я вновь схватил за плечо Киото Мавари. Он, кажется, был в настоящем шоке. До него с трудом доходило, что секретная база «Отряда 731» уничтожена.

Капитан Фудзинаи был не в лучшем положении. На его лице читалась полнейшая растерянность.

– Да-да, Кегельбаум... – невнятно проговорил Киото Мавари. – Я слышу вас. Вам немедленно нужно переходить границу. Вперед же! Действуйте!

Мыслями полковник Киото Мавари был сейчас не здесь, не на пограничье, а где-то там, в двадцати километрах от Харбина.

И я начал действовать.

– Коля!!! Давай!!! – заорал я во всю мощь своей луженой глотки.

И Николай Каблуков, что называется, дал. Дал жару!

Он как будто вырос из-под земли. Ураганом налетел на капитана Фудзинаи, и между ними завязалась борьба. Не медля ни секунды, я накинулся на полковника Киото Мавари. Он был моим клиентом.

Что сказать, чтобы не выглядеть в глазах уважаемого читателя легкомысленным хвастуном? И капитан, и полковник оказались на поверку бойцами высшего класса.

Они оба не стали доставать из ножен свои мечи, которыми, по определению, владели безукоризненно. Никто из них не схватился за пистолет. Но каждый принял стойку каратиста и приготовился к рукопашному бою.

Впрочем, слово «приготовился» тут совершенно не подходит. Все произошло в считанные доли секунды, которые могли бы для меня с Колей Каблуковым стоить жизней.

Удары руками и ногами посыпались на нас как тяжелые булыжники с высокой горы во время бурного камнепада. Казалось, ветер свистел в ушах, когда рядом с головой мелькала нога или рука противника.

Я пропустил несколько «подач» в корпус, но умудрился устоять на ногах. Фудзинаи, я увидел это краем глаза, ударил Николая пяткой в голову, и Каблуков отлетел на несколько метров. Слава богу, мой друг нашел в себе силы снова броситься на врага, как разъяренный тигр.

Ярость Каблукова была безмерной, именно она дала ему силы победить в этой схватке.

Коля вовремя уклонился от очередной серии ударов и попросту исполнил обыкновенный боксерский «аппер-кот» – удар снизу кулаком в челюсть с приложением силы движения всего корпуса.

Капитана Фудзинаи, который был на голову ниже Николая и раза в два легче, резко оторвало от земли, подкинуло вверх и плашмя швырнуло вниз, как доску, которую преднамеренно шлепнули о земную твердь.

А Каблуков тут же насел сверху, борцовским приемом перевернул капитана на живот и, стянув с себя брючный ремень, принялся вязать ему, громко стонущему и скрежещущему зубами, заломленные за спину руки.

Мне повезло меньше. Полковник Киото Мавари сдаваться не собирался. Он был и покрепче капитана физически, и злее. Злость все еще держала его на ногах, хотя я и отвесил ему пару «безотказных» русских затрещин.

В конце концов он, на мгновение рухнув на спину после моего удара в челюсть, пружинисто подпрыгнул, отскочил метра на полтора и... выхватил из ножен меч самурая.

Вот тут глаза мои стали, как говорится, квадратными.

Стальное лезвие свистело то справа, то слева. То сверкнет над головой, то ударит сбоку, чтобы с легкостью необычайной разрубить пополам. Я еле успевал изворачиваться.

Скажу по правде, никогда раньше не замечал за собой такой прыти. Но очень уж не хотелось умирать в двух шагах от русской землицы. Да умирать вообще не хотелось!!!

А потому, как только в очередной раз клинок просвистел сверху вниз, я – уж не знаю теперь, как это мне удалось – двумя ногами прыгнул на лезвие и... с хрустом переломил его.

Полковник, взревев нечеловеческим голосом, накинулся на меня, позабыв про все свои приемы карате. Из песни слов не выкинешь, и врать я вам тоже не хочу. Сумел Киото Мавари завалить меня на спину и подмять под себя.

Навалившись же сверху, он обеими руками принялся меня душить.

У меня уже темнело в глазах, когда руки Киото Мавари вдруг разжались, и он, охнув, откинулся на бок. Это Коля Каблуков, связавший «своего» капитана, жахнул полковнику кулаком по затылку. А кулак у Каблукова что двухпудовая гиря, я вам скажу. В общем, Киото Мавари вырубился. «Иппон», как говорят в карате – полная победа.

Японцы, оба крепко связанные, лежали рядышком на земле, мы с Николаем никак не могли отдышаться после тяжелой схватки.

– Он бы тебя задушил – точно... – прохрипел Каблуков.

– Ни фига... Я бы его сам «сделал»... – храбрился я, хотя знал, что Николай, конечно же, прав.

– Да ладно тебе выеживаться! – урезонил меня Каблуков.

– Спасибо, дружище... – сказал я, вытирая с лица грязь и кровь.

– «Спасибо» – это много, а в Москве с тебя бутылка «Столичной»! – хохотнул Николай.

– Договорились! – в тон ему ответил я. – Но, по-моему, нам отсюда пора убираться, светает.

На горизонте действительно светлело. С минуты на минуту сюда, в освобожденный по приказу полковника Киото Мавари «коридор», начнут вновь стягиваться подразделения Квантунской армии.

Я несколько раз пнул ногой Киото Мавари. Каблуков – капитана Фудзинаи.

Оба они вскоре пришли в себя.

– Что происходит?! – недовольно проговорил Фудзинаи, еще слабо ориентируясь в пространстве. – Я ничего не понимаю...

– Негодяй! – крикнул мне полковник Киото Мавари. – Вы предатель, Кегельбаум!

Я в ответ расхохотался.

– Вы с ума сошли?! – возмутился Киото Мавари. – Почему вы так нагло смеетесь?!

– Наверное, вы правы, господин полковник, – сказал я ему, продолжая хохотать. – Этот ваш Кегельбаум, наверное, предатель. А я – нет! Я очень люблю свою Родину!

– Но кто вы такой, черт вас побери?! – Глаза у Киото Мавари из узких превратились в квадратные.

Я же еще какое-то время нервно хохотал. Ну, не мог же я, в самом деле, вот так сразу заявить этому самураю, что никакой я не Кегельбаум, а совсем наоборот – полковник контрразведки «Смерш» Иван Степанович Журбин!

ИЗ БИОГРАФИИ ПОЛКОВНИКА ГОСУДАРСТВЕННОЙ БЕЗОПАСНОСТИ ЖУРБИНА ИВАНА СТЕПАНОВИЧА:

«Журбин Иван Степанович родился в 1911 году в городе Луганске (в советское время переименован в Ворошиловград) в семье инженера-железнодорожника.

Отец – Журбин Степан Игнатьевич, 1881 года рождения, с 1907 года занимал должность старшего инженера-путейца Луганского паровозного депо. В 1917 году вступил в ВКП(б) и возглавил восстание железнодорожных рабочих. С того же года – секретарь первичной партийной ячейки железнодорожников. В 1918 году убит в схватке с контрреволюционными элементами.

Мать – Журбина Елизавета Александровна, 1885 года рождения, учительствовала в школе города Луганска. С 1918 года – директор школы. В 1919 году – первый секретарь городского Комитета ВКП(б). В 1920 году убита в результате контрреволюционного мятежа.

Журбин И. С. в 1921 году переезжает в Петроград к старшей сестре матери, а в 1928 году поступает в Горный институт, который оканчивает с отличием в 1933 году.

С 1933 года Иван Степанович Журбин – сотрудник органов государственной безопасности.

За выполнение правительственного задания в Испании был награжден орденом Красного Знамени.

В мае 1941 года окончил высшие курсы комсостава НКВД.

Проходил службу в должности оперативного уполномоченного управления контрразведки в подчинении комиссара госбезопасности 2 ранга Абакумова.

В 1941 году старший лейтенант госбезопасности Журбин неоднократно отличался при обезвреживании разведывательно-диверсионных групп Абвера, заброшенных в Москву через линию фронта. Лично задержал офицера фашистской военной разведки барона фон Граубера.

Осенью 1941 года временно прикомандирован к управлению генерала П. А. Судоплатова. Был легендирован как майор Абвера барон Мартин фон Крюгер и заброшен в оккупированный фашистами Харьков. В результате успешно проведенной операции лично ликвидировал коменданта Харькова, начальника гарнизона гитлеровских войск генерала Георга фон Брауна. За эту операцию вторично награжден орденом Красного Знамени с присвоением, в порядке исключения, досрочного специального звания майор государственной безопасности личным распоряжением Верховного Главнокомандующего И. В. Сталина.

С того времени был внедрен в органы фашистской военной разведки. Выполнял задания советского командования на территории Украины и Польши.

В 1943 году был переправлен для нелегальной работы в Берлин.

В результате добытых майором госбезопасности Журбиным совершенно секретных сведений сорваны планы гитлеровцев по передислокации военно-промышленных предприятий Германии из Восточной Пруссии на северо-запад страны. Майору Журбину досрочно присвоено звание полковник государственной безопасности.

Участвовал в операции, разработанной советской резидентурой в Берлине, направленной на физическое уст-

ранение Адольфа Гитлера, в качестве непосредственного исполнителя. Произвел взрыв в ставке Гитлера в "Вольфшанце".

После неудавшегося покушения отозван в Москву для продолжения работы в органах военной контрразведки "Смерш".

В 1944–1945 годах служил в управлении, обеспечивающем безопасность разработок советского атомного оружия. Лично разоблачил и уничтожил фашистского агента, внедренного в Академию Наук СССР. Выполнял особо важные правительственные задания на Тибете. Реализовал операцию по уничтожению секретной базы войск СС, дислоцированной в Тибете и занимавшейся созданием дискообразных летательных аппаратов, неуязвимых для советских сил противовоздушной обороны и способных нести на себе ядерное оружие.

В июне 1945 года направлен с секретным заданием в Маньчжурию.

За операцию по разоблачению деятельности разведывательно-диверсионных школ японской военной разведки "Токуму кикан" и обнаружению лаборатории "Отряд 731" по производству биологического оружия полковник Журбин награжден орденом Ленина с присвоением звания Героя Советского Союза.

В настоящее время продолжает работать на территории оккупированной японскими милитаристами Маньчжурии.

Оперативный псевдоним – Ахиллес».

– Скажите, кто вы такой?! – настаивал полковник Киото Мавари. – Как вам удалось провести меня?!

– Ты лучше молчи, сука, – устало ответил я ему. – А не заткнешься, я тебе язык руками вырву и в задницу затолкаю.

Полковник хорошо знал русский язык. А потому, видимо, во всех красках представил себе обещанную мною экзекуцию. Следовательно, замолчал.

– Все, Коля, – повернулся я к Каблукову. – Больше ждать нечего. Хватай капитана, я возьму полковника, и потащили их на нашу сторону.

В этом и состоял мой план – выманить полковника Киото Мавари как можно ближе к границе. Здесь при помощи старшего лейтенанта Каблукова я рассчитывал пленить его и приволочь на наши позиции тепленьким.

Одного я не мог знать – что полковник будет не один сопровождать меня до переброски, а возьмет с собой капитана Фудзинаи. Ну ничего. Как говорят на Руси, бог не выдал, свинья не съела. Мы и с полковником, и с капитаном справились.

Шатаясь и спотыкаясь чуть ли не на каждом шагу, метр за метром мы приближались к советской территории. Не прячась и не таясь.

Я надеялся, что если в Москве приняли мою шифровку о месте расположения базы «Отряда 731», то знают и о том, где и каким образом я буду пересекать рубеж.

* * *

– Смотри! Кажется, идет! – полковник Ватрушев вперился взглядом в темноту, только начавшую немного рассеиваться.

– Да нет, товарищ полковник, – возразил майор Ушуров. – Вы же сами говорили, что он будет один.

А тут двое лезут, да еще что-то тащат на себе! Наверняка шпионы...

В предрассветной дымке со стороны Маньчжурии к границе подходили действительно двое и что-то неопределимое несли на своих плечах.

Ушуров передернул затвор автомата.

– Может, пальнуть по ним, а, товарищ полковник?

– Цыц, тебе говорят! – шепотом осадил его Ватрушев. – Я тебе пальну сейчас по башке! Не похожи они на шпионов. Не скрываются, не боятся...

– Наверное, перебежчики, не иначе...

Полковник Ватрушев еле слышно свистнул, повернувшись к кустарнику, который находился на небольшом удалении у него за спиной.

Всколыхнулась листва, и через несколько секунд на «передок» выползли двое сержантов комендантской роты «Смерш».

– Вон тех видите? – спросил Ватрушев, указывая на силуэты, медленно движущиеся с сопредельной стороны. – Давайте-ка без шума возьмите их и – сюда. Только смотрите, головорезы, не поломайте их там!

– Все чисто сделаем, не беспокойтесь, товарищ полковник.

Разведчики ползком двинулись вперед.

Незамеченными подобравшись в Журбину и Каблукову, которые влачили на себе японских офицеров, сержанты молниеносным броском сбили их с ног и обезоружили.

Но Каблуков с Журбиным и не сопротивлялись.

Теряя последние силы, кто-то из них только прошептал:

– Слава богу, свои...

А второй простонал:

– Мы – русские... Помогите, братцы...

* * *

В себя я пришел уже в командирском блиндаже на нашей территории.

И первым, кого увидел, был полковник Ватрушев – мой московский начальник.

– Жив курилка! – радостно проговорил он. – Ничто тебя не берет, Иван Степанович!

Я лежал на топчане, укрытый сверху солдатской шинелью.

Вот дела! Николай Каблуков уже преспокойно сидел за широким дощатым столом, пил из кружки спирт и закусывал тушенкой и ржаным хлебом. Вот для кого война – не война!

Тут же расположились и Фудзинаи с Киото Мавари. Правда, с гораздо меньшими удобствами. Они лежали на глиняном полу со связанными руками.

– Ты все-таки спер его! – восхищенно проговорил Ватрушев, перехватив мой взгляд, которым я смерил полковника Киото Мавари.

– А что – не надо было уже? – спросил я севшим голосом.

– Да нет, просто в Москве никто уже не верил в то, что это возможно. А ты его выкрал! Да еще как – с изюминкой!

– Вещмешок! – встрепенулся я неожиданно и вскочил на ноги. – Где мой вещмешок?! Там же бактерии!

– Не суетись, Иван! – бережно взял меня за плечо Ватрушев. – Мы все, что надо, уже нашли и отправили на экспертизу нашим химикам-биологам. Сало, кстати, из твоего «сидора» попробовали. Доброе сало. Сам-то будешь? – Он жестом пригласил меня к столу.

– Выпить дайте, – попросил я и присел на деревянную лавку.

Жахнув граммов сто чистейшего спирта, я почувствовал, как приятно загудело в голове. Снова посмотрел на пленных. А они готовы были прострелить меня насквозь своими взглядами.

– Этого никак не могло случиться... – по-русски проговорил Киото Мавари.

– Еще как могло! – уверенно ответил я ему.

– И все же, кто вы такой? – задал он свой уже поднадоевший мне вопрос.

– Теперь, полковник, это не имеет для вас никакого значения, – сказал я. – Мое имя вам ни о чем не скажет.

– Кошмар!!! – прошипел он. – Все это просто кошмарный сон!!!

– Боюсь, когда вы наконец поймете, что сон оказался явью, вам станет совсем плохо, – старательно пережевывая хлебную горбушку, ответил я ему.

– Я проклинаю вас!!! – заорал полковник Киото Мавари. – Проклинаю!!!

– Это не страшно, – спокойно произнес я. – Я вас тоже проклинаю. И теперь всю жизнь проклинать буду.

– Слушай, классная штуковина, да? – Ватрушев с интересом рассматривал самурайский меч, вынув его из ножен. – Ты посмотри, какая сталь, какая заточка! – Он восхищенно причмокивал губами. – Я даже на Дону у наших казаков таких не видел.

И тут произошло то, чего мы никак не ждали.

– Банзай!!! – визгливо закричал капитан Фудзинаи.

При этом он резко вскочил на ноги и с завязанными за спиной руками стремительно кинулся к Ватрушеву, рассматривающему клинок.

Мы и глазом моргнуть не успели, как Фудзинаи напоролся животом на острие своего же меча. Брюшная полость оказалась вскрытой от паха до реберной части. Но капитан был еще жив и, пользуясь моментом – да мы просто остолбенели от увиденного! – с силой и уже ослабевшим криком «банзай» резко присел. Безупречное лезвие разворотило и его грудную клетку.

Внутренности самурая вывалились на глиняный пол. Кишки поползли длинными бело-розовыми червями, кровь ударила фонтаном и моментально залила весь блиндаж. А полковник Ватрушев, абсолютно обалдевший, все еще держался за рукоять меча. Потом судорожно сглотнул вязкую слюну, медленно отступил назад... Тело Фудзинаи соскользнуло с клинка и, хлюпнув, упало в мокрую вязкую массу, образовавшуюся на полу. Отшвырнув меч, Ватрушев кинулся в дальний угол. Его нещадно и долго рвало.

Мы с Николаем, готовые и не к таким самурайским штучкам, все это время присматривали за полковником Киото Мавари. Он сидел на своем месте как ни в чем не бывало. И лишь когда Ватрушев немного пришел в себя и подошел вновь к трупу, Киото Мавари громко и отчетливо произнес по-русски:

– Браво, капитан Фудзинаи! Вы погибли как настоящий самурай! Браво!

...А через несколько часов меня, Колю Каблукова, полковника Ватрушева и плененного Киото Мавари повезли в закрытом грузовике на ближайший военно-полевой аэродром, чтобы немедленно переправить в Москву.

Полковнику Киото Мавари сцепили теперь наручниками (их привезли специально из комендатуры) руки и ноги. Второго харакири нам было не нужно.

ПОСЛЕСЛОВИЕ

1945 год, 6 августа. Москва. Лубянка.

– Здравствуйте, товарищ Журбин, – сказал Берия и прошелся неторопливо по кабинету.

Он не вызвал меня в Кремль и не приказал явиться в один из своих московских особняков, а сам приехал на Лубянку, что было для него нехарактерно.

При нашей встрече изъявили желание присутствовать и Абакумов, и, насколько мне было известно, Судоплатов, которого я безмерно уважал, и все мое остальное начальство.

Но Лаврентий жестко высказался:

– Занимайтесь делами! Свободны!

Я заметил недобрый блеск в его глазах, и по моей спине пробежал неприятный холодок.

– Здравия желаю, товарищ Берия! – ответил я на приветствие.

– Я очень сожалею, Иван Степанович, но поздравить вас не могу... – произнеся эту фразу, он выдержал небольшую, но весьма тяжелую для меня паузу.

Вот так огорошил. Я ему полковника японской разведки в Москву приволок, а у него даже слова доброго не нашлось для меня.

– Удивлены?! – Берия вновь сверкнул взглядом из-под своих круглых очков. – Вы, наверное, героем себя чувствуете, да? Напрасно. В нашей стране много героев. Мы победили в страшной войне, пока вы, товарищ Журбин, наслаждались прогулками по заграницам...

– Извините, Лаврентий Павлович! – откровенно вознегодовал я. – Но у вас нет оснований так отзываться о моей работе!

– Что вы сказали, товарищ Журбин?! – усмехнулся Берия. – Как вы можете судить о моих основаниях?

– Виноват, конечно, – чуть оробев, проговорил я. – Но если я виноват в чем-то конкретном, то скажите...

– Щенок!!! – воскликнул он. – Я скажу сейчас! Я тебе все скажу! Ты думаешь, что я о тебе ничего не знаю?! Ошибаешься, мой ненаглядный!

Пол поплыл под моими ногами. Я понял: мне конец.

– Начнем с самого начала, – заговорил Берия тоном школьного учителя. – Когда работал в Берлине, с немецкой блядью связался?

Ну, конечно, он имел в виду мои отношения с дочерью фашистского промышленника графа фон Ливенбаха. Не думал, не гадал, что мне припомнят это уже после войны. А Берия продолжил:

– Перед тобой, полковник, в Берлине какая задача стояла? Шлюх в койки заваливать или Родине служить?! Тебе, как одному из лучших, было поручено ни много ни мало – убить Гитлера! А ты что сделал? Провалил операцию?!

Я стоял перед ним с новенькой Звездой Героя Советского Союза, которую мне только вчера вручил Сталин. Стоял и думал: он сейчас с меня эту Звезду сорвет или часом позже?

– А какие шуры-муры были у тебя с немецкой шпионкой в Москве? Забыл? Так я тебе напомню!

Да нет, не забыл. Я тогда по-настоящему влюбился в женщину из Академии наук, которая мною же была изобличена как немецкая шпионка. Значит, и это мне припомнили.

– Мало тебе показалось?! – продолжал кричать Берия. – Так ты еще и в Харбине себе подстилку нашел?! На кого ты позарился?! На кого свою Родину решил променять?!

Это было уже слишком.

– Вы не имеете права... – начал я и от волнения закашлялся.

– Заткнись, мерзавец!!! – закричал Берия так, что в окнах задребезжали стекла. – Ладно, оставим в покое твоих баб... – произнес он уже тише, взяв себя в руки. – В конце концов, все мы – мужчины, да? И я в какой-то мере готов тебя понять. Меня тоже время от времени на сладкое тянет. Но я дело свое не забываю. Я о Родине всегда думаю...

И снова – пауза. И снова его молчание убивало меня. Но пришло время, и он вновь подал голос:

– Не думай, что Судоплатов или Абакумов смогут тебе помочь. Они – честные люди и не помогают таким, как ты. Подожди, дорогой, – он хищно заулыбался, – я еще разберусь с твоими сообщениями из-за границы. Мои люди докажут, что большая часть информации, которую ты передавал в Центр – просто вранье...

Чем же я не угодил зловещему Лаврентию? Что я мог в своей жизни сделать такого, чтобы стать его личным врагом? В том, что Лаврентий Павлович испытывал ко мне персональную неприязнь или даже отвращение, сомнений не оставалось.

– Разрешите задать вопрос, товарищ Берия? – робко произнес я.

– Вопрос можно, – благосклонно ответил он. – Но только один. На все другие вопросы тебе, может быть, захотят ответить следователи.

Я с трудом нашел в себе силы, чтобы не наброситься на этого жирного негодяя в круглых блестящих очках.

– Скажите, Лаврентий Павлович, я действительно в чем-то виноват?

– Не скажу, – брезгливо бросил он мне в ответ. – Никаких объяснений ты от меня не получишь. Но новости для тебя есть.

Я весь напрягся.

– Полковник Киото Мавари покончил с собой в камере Лубянской тюрьмы.

– Как?! – оторопел я. – Этого просто не может быть!

– В нашей жизни все может быть, полковник, – назидательно проговорил он. – Киото Мавари, сидя в одиночной камере, сегодня ночью сам себе зубами перегрыз вены и до утра скончался. Вот так.

Я еще несколько минут стоял как будто в полузабытьи. Ничего не слышал и не видел вокруг себя. Даже не обращал внимания на слова, которые все это время произносил Лаврентий. Но вскоре до меня вновь донесся его голос.

– Я тебе вот что посоветую, полковник Журбин, Герой Советского Союза, – при этом «Герой Советского Союза» прозвучало издевательски. Я знал, как в бериевских застенках ломали любых героев. – Пока будешь отдыхать – а у тебя, насколько мне известно, трое суток отпуска – подумай хорошенько над своими поступками за последние пять лет. Вспомни все, что делал неправильно, и напиши обо всем подробно на бумаге. Надеюсь, у тебя получится изложить все факты последовательно, ничего не скрывая. А пока что – свободен. Пошел отсюда... – Он небрежно махнул рукой в сторону двери.

...Я на ватных ногах шел по знакомому коридору здания госбезопасности на Лубянке и понимал, что дни мои сочтены. Если уж за меня взялся сам Лаврентий Берия, то добра от такого внимания не жди.

Но самоубийство полковника Киото Мавари не могло стать причиной его ярости и ненависти ко мне лично. Я-то тут при чем? Похоже, мне и впрямь нужно было садиться за стол перед чистым листом бумаги и вспоминать все мои грехи перед Родиной.

Но чем я был виноват перед страной, вырастившей и воспитавшей меня?! В чем была моя вина перед моими товарищами?!

Не соображая ничего, я вошел в кабинет полковника Ватрушева.

– А, Иван, – произнес он без особой бодрости в голосе. – Проходи, присаживайся.

– Товарищ полковник, – произнес я онемевшими губами. – Меня только что... меня вызывал...

– Я знаю – Берия, – договорил за меня Ватрушев.

– Что делать? Я ни в чем не виноват...

– Возьми себя в руки, полковник, – произнес Ватрушев дежурную, ничего не значащую фразу. – У тебя есть три дня. Вот и отдохни хорошенько. А заодно и подумай: может, что не так сделал. Знаешь, как бывает? Шла война, люди на фронтах гибли. Все списывалось, все прощалось. А сейчас, может, всплыло что? – Он подошел ближе и заглянул в мои глаза. – Не припомнишь, Ваня?

– Лаврентий Павлович сказал, что Киото Мавари...

– Тьфу ты черт! – выругался Ватрушев. – Да плевать все хотели на этого Киото Мавари! Сдох себе и – сдох! Ты лучше вспомни, что было серьезного!

И я подумал о том, что память мне будут «освежать» тут же, во внутренней тюрьме Лубянки. Костоломы Берии умеют это делать с невероятной изощренностью.

Что ж, недолго я поносил на груди Звезду Героя.

Впрочем, чему быть, тому не миновать.

И я приготовился к скорому аресту.

С коммунистическим чекистским приветом
Иван Степанович Журбин.

СОДЕРЖАНИЕ

Б. К. Седов

ХАРАКИРИ ПО-РУССКИ

Ответственный за выпуск
С. Н. Абовская
Корректор *Л. С. Самойлова*
Оформление обложки *В. Манацкова*
Верстка *А. Б. Ирашина*

Подписано в печать 15.12.08
Формат 84×108 $^{1}/_{32}$. Гарнитура «Таймс»
Печать офсетная. Бумага газетная
Усл.-печ. л. 15,12. Уч.-изд. л. 9,5. Тираж 5500 экз.
Изд. № ОП-09-0082-ВЗ. Заказ № 12668.

ЗАО «ОЛМА Медиа Групп»
105062, Москва, ул. Макаренко 3, стр. 1
http://www.olmamedia.ru

Отпечатано по технологии CtP
в ОАО «Печатный двор» им. А. М. Горького
197110, Санкт-Петербург, Чкаловский пр., 15